최진태의 요가로 세상 읽기

READING THE WORLD WITH YOGA

도서출판 흐름

최진태의 요가로 세상 읽기

발행일 - 2024년 4월 1일

지 은 이 - 최진태
기획 제작 - 최진태
e mail - gi7171gi@naver.com
Naver카페 - 부산요가명상원
Naver블로그 - 부산 요가 명상원
Naver Band - 부산요가 명상원
전화번호 - 010-8533-1561

펴 낸 이 - 이재철
발 행 처 - 도서출판 흐름
등록번호 - 제399-2023-000027
등록일자 - 2023년 3월 22일
주   소 - 경기도 남양주시 화도읍 비룡로 186
전   화 - 010-5257-1254
이 메 일 - ejc1057@naver.com

I S B N : 979-11-982864-9-9(03800)
가   격   15500 원

최진태의 요가로 세상 읽기 2024년

ISBN 979-11-982864-9-9

《책머리에》

이 책은 부산일보 오프라인(off line) 신문에 약 2년여 (2013.10~2015.6, 84회)에 걸쳐 독자들로 부터 절찬리에 인기를 모으며 연재되었던 '최진태의 요가로 세상 읽기' 칼럼을 엮어 선보이는 것이다.

''요가 자세의 연구 목적은 자유자재로 구사하는 법을 배우는 데 있는게 아니라, 스스로를 이해하고 변화시키는데 있다.''고 B.K.S.아헹가(Iyenger)는 강조하고 있다.
이 말을 곱씹어 보면 스스로를 이해하고 변화시키는 데에 필요한 것은 요가 관련 기법과 이론 무장은 물론 다양한 인문학적 지식과 소양이 곁들여져야 된다는게 아닐까?
요가를 한다는 것은 단순한 몸동작 위주로만 하는, 즉 '요가 기술자', '요가 기능인'이 아닌 폭넓은 지식과 지혜를 갖춘 참되고 올곧은 요가인, 요기니(yogini)가 되는 것이라 생각된다.

스토브 잡스는 ''애플은 인문학과 기술의 교차점에 있다''며 ''소크라테스와 한 나절만 함께 할 수 있다면 애플이 가진 모든 기술을 다 주겠다''고도 했다. 요가 수행에 인문학적 요소를 곁들인다면 요가의 의미, 목표, 의도를 더 뚜렷이 느낄 수 있을 것이라는 생각은 순전히 25여년간 '요가 마스터(Yoga Master)'의 길을 걸어온 저자의 신념 때문이다. 특히나 유연한 사고의 폭과 통찰력, 다양한 상상력, 그리고 풍부한 감성의 수혜는 덤으로 해두자.

셜리 대번트리 프렌치는 ''요가는 하나의 예술이고, 아사나 역시 그 예술이며 진리를 밝혀 우리를 빛으로 인도하게 될 상징들의 시적(詩的)인 표현이다''라고 했다.

이 책에서 언급하고 있는 각 아사나들의 상징적 의미에 대한 폭넓은 이해를 통해 육체를 들여다 보고, 결국에는 자신의 오감(五感)까지 제어할 수 있는 경지까지 오를 수 있게 되기를 희망해 본다.

"이름을 알고 나면 이웃이 되고/색깔을 알고 나면 친구가 되고/모양까지 알고 나면 연인이 된다/아, 이것은 비밀." 나태주 시인의 시 <풀꽃2>가 저자를 대변해 주고 있다.

끝으로 이 책이 '어떻게 요가를 하는지도 중요하겠으나, 왜 요가를 하는지 한번 쯤 되돌아 보게 하는 책'이 되었으면 하는 바램을 담아 본다. 또한 요가인들이나 일반 독자들의 요가 경험을 가일층 심도 있게 확장시켜 줄 사유와 성찰의 길을 제시해 주고, 그 길을 밝히는 조그만 <요가의 등불> 이라도 되기를 소망해 본다.

2024.3

한려수도 갯바람 불어오는
'운형산방 해월정(海月亭)'에서
저자 최진태(요가·문화 칼럼리스트)

목차

1. 프롤로그

소리의 진동음으로 몸과 마음 정화

최진태

요가는 호흡, 명상, 스트레칭이 결합된 수련법이다. 우리의 삶이 바로 그렇다. 숨 쉬고, 생각하고, 움직이는 것이 우리 삶의 전부인 것이다. 이 같은 요가를 통해 우리 삶의 이면을 읽어본다.

요가는 하타요가, 카르마요가, 라자요가, 탄트라요가, 즈나나요가, 박티요가, 쿤달리니요가, 만트라요가 등으로 구분된다. 그중 만트라요가는 소리에 기대어 자신을 보호하고 마음을 해방시키는 수행법이다. 여기서 만트라의 '만'은 산스크리트어로 '생각하다'를, '트라'는 '자유롭다'를 뜻한다. 이를 우리말로 바꾼 것이 '소리 요가'다.

사실 일상의 모든 가르침은 소리와 글로 전해진다. 성경도 '태초에 '말씀'이 있었으니…'로 시작된다. 신이 있어서 말씀이 있었다면 말은 곧 신이며 진리인 것이다. 이 세상은 언어로 구성됐다. 언어는 소리로 전달되고, 소리에는 많은 것이 포함돼 있다. 자신이 바라는 것이 이루어지도록 말로써 뜻을 전하며, 소리의 강약 고저는 생명의 리듬이다. 천냥 빚도 말 한마디로 면할 수 있고 한마디의 선고로 사형을 당하는 일도 있다. 가슴에 맺힌 것을 속 시원히 풀어내는 것도 몇 마디 말이다.

말에는 신비로운 힘이 있다. 소리에는 진동의 힘이 있고, 힘에는 진동하는 소리가 있다. 소리는 생명체의 진동이므로 호흡, 신체 작용, 심리 작용, 영적 작용 등 모든 수준에서 자신과 주변에 변화력을 발휘한다.

소리는 마음을 가라앉게 하거나 들뜨게 한다. 소리는 에너지이며 힘이다. 또 생명이고 리듬이다. 한마디 말에 생기가 돌고, 반대로 기가 죽기도 한다. 소리는 진동이나 파장의 길로 만들어진 에너지다. 어떤 소리는 병을 치료하는 힘을 지녔고, 또 어떤 소리는 유리잔을 깰 정도의 힘을 가지고 있다.

심리학자 도체는 "언어는 비옥한 토지(우리들의 마음)에 떨어진 씨앗과 같은 것"이라고 말했다. 말 한마디가 이익을 가져올 지, 손실을 가져올 지의 갈림길을 결정한다.

'구시화복문'(口是禍福門)이라는 말이 있다. 입이 화를 불러오는 문이 되고, 복을 불러오는 문이 되기도 한다는 말이다. 평소 자주 사용하는 말, 곧 언어 습관이 본인 자신임을, 자신의 운명을 결정한다는 사실을 깨닫게 하는 경구다. 한마디 말, 한마디 만트라가 곧 불이 될 수도 있다.

2. 웃음요가

웃으면 복이 와요? 웃으면 건강해요

요가의 전통적인 줄기는 아니지만, 근래 인도에서 시작된 웃음요가라는 것이 우리나라에서 화제가 되고 있다. 항간에 떠도는 건강요법 중에도 '아침에 눈을 뜨기 전 누운 채로 잠시 동안 웃음으로 하루를 시작하라'는 지침이 있다.

웃음은 자율신경계의 부교감 신경을 깨워 엔도르핀을 생산하고 백혈구 수를 증가시켜 암 환자의 생존율을 높인다는 연구 결과가 나온 지도 오래 됐다. 웃음은 그만큼 건강과 직결된다는 얘기다.

스트레스를 해소하는데 웃음만큼 좋은 것이 없다. 특히 크게 소리를 내어 웃으면 스트레스가 일시에 제거될 수 있고 이때 세포가 활성화되어 신체의 면역력이 증진된다.

웃으면 얼굴 근육이 자동으로 움직이는데, 이로 인해 뇌에 적당한 자극을 줘 긴장이 풀리기 때문이다. 또 큰 소리를 내어 웃는 것은 산소 섭취량을 늘려 심호흡과 같은 효과도 가져온

11

다. 웃음은 말 그대로 값으로 따질 수 없는, 만병통치약인 것이다.

'혹병동체'(惑病同體)라는 말이 있다. 이는 '미혹한 마음과 질병은 같다'란 뜻인데, 여기서 '질'(疾)은 병을 유발하는 마음이고, '병'(病)은 발병에 따른 결과물로 해석될 수 있다. 다시 말해 질병은 심리적인 병인(病因)과 신체적인 병과(病果)를 한데 묶은 표현으로, 신체에 나타나는 질병만을 가리키는 것이 아니라는 얘기다.

따라서 낙천적인 생각과 태도를 가진 사람은 스스로 자존감을 높여 삶에 대한 행복을 느낄 확률이 높다. 또 우울, 불안, 짜증, 적개심 같은 부정적인 감정을 크게 줄여 신체상의 질병 징후를 낮추게 하는 효과를 가져온다.

마음의 본성은 어머니이고, 몸의 본성은 어린아이와 같다고 했다. 어머니처럼 따뜻하고 밝은 마음은 어린이를 사랑스럽게 품에 안아 포근함과 안락함으로 깊은 안식을 느끼게 해준다. 설령 인위적이라고 하더라도 웃음은 힘들고 지친 몸과 마음을 감싸주며 본성으로 돌아가는 길을 열어준다.

건강하고 싶다면 먼저 마음의 평화부터 얻고, 이를 위해 억지스럽더라도 마음껏 웃어야 한다. 슬퍼서 우는 것이 아니라 울면 슬퍼진다는 말처럼, 웃음은 몸과 마음을 편안하게 해준다.

오늘 하루만이라도 순진무구한 어린이의 얼굴처럼 활짝 웃어보자. 웃을 일이 없더라도 말이다.

3. 완전이완 자세

힘 뺀 '시체 자세' 요가의 시작이자 끝

허수정

운동은 '힘 빼기'에서 시작된다. 탁구, 골프와 같은 구기 종목은 물론이고 힘을 순간적으로 사용하는 검도와 태권도도 마찬가지다. 요가에도 이런 수련법이 있다.

바닥에 누워 잠을 자는 듯한 '완전이완' 자세를 말하는데, 요가 용어로는 '샤와아사나'(송장, 시체자세)라고 해서 주로 그날의 요가 수련이 끝났을 때 취한다.

생명이 떠나면 육신은 고요하고 움직임이 없어진다. 이런 상태가 바로 완전이완 자세로 의식이 있지만 일체의 움직임을 피한 채 마음의 평정을 유지하는 것이다. 이 '의식적인' 휴식이 몸에 활력을 주고 마음에 생기를 되찾아 주는 것이다. 여기서 몸보다 마음을 안정시키는 것이 더 어렵다.

얼핏 간단하고 쉬운 자세로 보이지만 사실 상당한 수준의 고수도 이를 제대로 체득하기가 어렵다. 실제로 이 자세만으로 고수와 하수를 가름하는 경우도 있다. 그만큼 이 자세는 모든 요가 아사나의 알파요, 오메가인 것이다.

인도 고전인 '바가바드기타'에는 "영혼은 세상의 감각들과 함께 움직이지만 감각은 조화 안에 유지되며 고요 안에서 휴식을 취한다"라는 대목이 있다. 몸과 마음에서 '긴장과 이완'이라는, 서로 다른 성질을 상응시켜 살아갈 때가 바로 자연스러움이라는 얘기다. 건강과 마음의 평화는 존재 전체의 강한 활력에 상응하는 휴식을 통해 이뤄지며 그 원천이 바로 이완이다.

오늘을 살아가는 현대인을 한 단어로 규정한다면 그것은 '바쁨'이 아닐까? 이처럼 우리는 욕망이라는 이름의 전차를 타고 앞만 보면서 끝없이 달려가고 있다. 그러니 삶의 여유를 찾기 위해서는 별도의 노력이 필요한 것이다.

인간은 원래 필요 이상의 경쟁심이나 중압감을 느낄 때 근육이 시나브로 긴장하게 된다고 한다. 근육이 긴장된 상태에서는 뇌와 자율신경계가 제대로 기능하지 못하며, 따라서 뛰는 것만큼 잠시 멈춰선 뒤 쉬는 것도 중요하다. 물론 쉼은 게으름과 다르다. 다음 여정을 위해 힘을 저축하는 생리적 행위인 것이다.

따라서 쉼은 시간을 끊는 것이 아니라, 시간과 조화를 이루는 행동이며, 최적의 속도로 삶의 균형을 되찾아가는 것이라고 할 수 있겠다. 쉼은 또 지금 이 순간이 그 어떤 기대나 요구보다도 충만함을 의미하기도 한다. 정글 속에서 살고 있는 야생동물들은 상처를 입었을 때 조용한 곳을 찾아 '그냥' 쉰다. 정말 아무 것도 먹지 않고, 아무것도 하지 않는 것이다.

눈이 부시도록 하늘이 청명한 이 가을에, 곱게 물든 단풍을 보며 '이완'의 진정한 의미를 깨우쳐 보면 어떨까.

4. 어린이 요가

바른 자세가 바른 성격 만든다

채서우

어린이가 우울증, 주의력 결핍 과잉 행동장애(ADHD), 불안 장애 등에 시달리고 있다는 보도에 충격을 받았다. 티끌 없이 맑고 밝은 시절을 보내야 할 이들의 영혼이 벌써부터 큰 상처를 입고 있다는 방증이 아닐까 싶다.

사실 요즘 아이들은 너무 일찍부터 너무 많은 영상물에 노출되고 있다. 휴대전화기, 컴퓨터에 아이들의 눈과 뇌가 심각하게 혹사당하고 있는 것이다. 교육도 무한 경쟁으로 치닫고 있으니 아이들의 불안감이 점점 커지고 있는 것도 당연하다. 척추측만증, 목뼈 이상, 골반 비틀림 등 신체적 증상도 요즘 아이들에게서 흔하게 발견되고 있다. 쉽게 짜증내고 질서에 반항하는 아이들도 적지 않다. 왜 그럴까? 어떻게 하면 이들의 몸과 마음을 치유할 수 있을까?

자세는 그 사람의 마음을 반영한다고 해도 과언이 아니다. 자세는 성격을 만드는 근본이고, 마음은 자세를 만드는 근본이다. 얼굴에서 풍기는 인상이 곧 그 사람의 마음을 표현하는 것처럼 마음이 흐트러지면 자세도 흐트러진다. 자세가 바르지 못하면 마음 또한 해이해지고 흐트러지기 쉽다. 똑바로 앉아라, 등 구부리지 마라, 허리를 곧게 펴라, 같은 말을 자라면서 한두 차례 안 들어 본 사람은 드물 것이다. 자세가 미치는 영향이 그만큼 크다는 얘기다.

바른 자세를 유지하면 많은 질환에서 벗어날 수 있다. 어린이 요가는 어린이가 바른 자세를 갖는 데 도움을 주는 방법 중 하나다. 남과 늘 경쟁하고 비교당하는 상황에 길들여진 아이들에게 요가는 결과가 아닌 과정과 목적의 중요성을 깨닫게 해 준다.

자신의 내면 세계에 귀를 기울여 상대방을 이해하고, 인정하고, 수용할 수 있는 방법도 알려 준다. 특히 명상은 들떠 있는 아이들의 마음을 차분하게 가라앉히는 데 도움을 주고, 자신의 고귀한 가치와 본성을 일깨워 준다. 균형 잡힌 몸과 마음을 얻는 것은 요가의 덤이다.

짝짜꿍 짝짜꿍, 도리도리, 잼잼, 곤지곤지 등과 같은 동작을 통해 우리 조상들은 일찍부터 아이 몸의 성장을 돕고 올바른 정신과 얼이 자연스럽게 심어질 수 있도록 했다. 사람은 자연에서 태어나 자연으로 돌아간다. 자연의 모습을 따라하는 요가는 아이들이 스스로 제자리를 찾아 살게 해 주는 삶의 길잡이다.

아이는 본질적으로 자연과 같아서 자연의 모습을 닮아가는 요가를 배우는 것이 결코 어렵지 않다. 수천 년 요가의 역사에서 요가는 다양한 목적으로 활용되어 왔고, 그 시대가 요구하는 요가는 여러 가지 얼굴로 삶의 현장을 찾아왔다. 이제 미래의 주인공이자 희망인 아이들을 위해 어린이 요가에도 눈을 돌릴 때이다.

5. 물고기 자세

누워서 가슴 들어 올리면 폐 기능 향상

차지연

요가에 '물고기 자세'(사진)라는 것이 있다. 요가 용어로 '마시야사나'인데, 마시야가 물고기를 뜻한다. 물고기는 힌두교에서 세 주신(主神) 중 하나인 비슈누의 아바타이기도 하다. 이 물고기는 세상이 대홍수를 만났을 때 '마누'(기독교의 '아담'과 비슷한 인물)와 그의 가족, 7명의 현인, 그리고 인도에서 가장 오래된 베다 경전을 구한 것으로도 유명하다.

이 물고기에서 유래한 '마시야사나'는 물속을 유영하는 물고기 자세를 일컫는다. 등을 바닥에 대고 누운 상태에서 목과 가슴을 들어 올리는 것이다. 이때 등은 활처럼 굽혀야 한다. 또 머리는 뒤로 한껏 젖혀 정수리가 바닥에 닿는 것이 옳은 자세이다. 양팔은 굽혀서 가슴 옆에 살짝 붙인다. 이렇게 하면 젖힌 목과 들어 올린 가슴을 통해 폐 기능이 크게 향상되고 갑상선 계통도 활성화된다.
물고기는 많은 종교와 전설, 신화에 등장했다. 불교의 목어가 대표적인 것으로, 물속의 중생 구제와 게으른 수행자를 경책하는 상징으로 잘 알려졌다. 기독교에도 '오병이어'(五餠二魚)라는 얘기가 있다. 마태복음에 나오는 예수 그리스도의 기적 사건을 일컫는다. 예수는 한 어린이가 내놓은 떡 5개와 물고기 2마리로 기적을 일으켜 5천 명의 무리가 배불리 먹도록 했다는 것이다.

우리나라에도 물고기와 관련된 전설이 많다. 고구려 건국신화가 대표적인데, 주몽이 물을 건널 때 물고기와 자라가 다리를 놓아 주었다는 전설이 전한다. 가야란 글자도 인도 드라비드어로 물고기를 뜻한다. 인도 아유디아에서 시집 온 허 황후가 전래한 쌍어(雙魚) 신앙도 물고기와 무관하지 않다. 이처럼 물고기는 동서양 전반에 걸쳐 인류사에 스며든 상징이다.

후쿠시마 원전 사고에 따른 방사능 공포가 국내 수산물 전체에 대한 불신으로 이어지고 있다. 식탁에도 생선이 자취를 감추고 횟집은 파리를 날리고 있다고 한다. 안타깝다. 기관지가 약해지는 요즘, 비린내 나고 매운 음식이 폐와 대장을 보호해준다고 하는데, 싱싱한 생선회 한 접시에 겨자를 듬뿍 넣은 초고추장과 곡차 한 잔을 곁들였으면 좋겠다.

6. 물구나무서기

가끔은 우리도 몸을 뒤집어야

최진태

직립은 인류의 문명 발달에 가장 큰 역할을 했지만, 정작 이로 인해 네 발 척추동물에게는 없는 질병을 가져오기도 했다.

사람 몸은 생긴 대로 사용해야 한다. 앞뒤, 좌우, 위아래로 다 사용할 때 몸은 건강해진다. 그러나 현대인은 직업 세분화로 특정 부위나 특정 방향으로만 신체를 사용하는 일이 잦아졌다. 이른바 쏠림 현상이 심화되고 있는 것이다. 요가는 이처럼 한 쪽으로 쏠린 부위와 장기를 바로잡아 주는 기능을 할 수 있다. 쏠림의 반작용을 요가에서는 '상응'(相應)이라고 한다. 상응은 서로 다른 성질의 것들이 조화롭게 만나거나 어울린 상태를 뜻한다. 즉, 신체의 상응 작용을 통하여 우리 몸의 균형과 조화를 도모하는 것이다.

어떤 문제를 해결하는 방책을 우리는 흔히 '처방'(處方)이라고 한다. 이 한자어를 풀어 보면 특정 위치를 다른 방향으로 바꾸는 것을 말한다. 인간의 직립생활에 따른 쏠림현상을 해소시키고, 각 장기의 원래 기능을 회복시키는 방법 중 하나가 요가에서는 '물구나무서기'(시르시아사나·사진)다.

물구나무서기는 두 손으로 머리를 감싼 채 머리는 바닥에, 두 발은 공중으로 차올린 자세다. 두 손바닥을 바닥에 대고 머리는 곧추세운 채 양발을 공중으로 뻗은 자세도 있다. 인위적으로 몸을 거꾸로 할 수 있는 운동기구를 이용하는 것도 괜찮다.

아무튼 이 물구나무서기 자세는 요가에서 가장 중요한 자세로 취급된다. 또 거꾸로 선 나무처럼 몸과 마음을 재창조하는 의미도 갖고 있다. 상대 입장에서 생각하라는 '역지사지'의 마음도, 현상 세계를 반대 방향에서 들여다보는 역발상의 지혜도 바로 이 자세에서 얻어진다. 육체적으로는 각 부위가 역전된 관계로 혈액이 머리로 흘러드니 뇌에 풍부한 산소와 영양을 공급한다. 오장육부의 기능도 회복된다.

물구나무서기는 육체를 통해 마음을 조절하고 각성의 상태로 인도하는 명상법인 '도립선'(倒立禪)이라고 할 수 있다. 지구를 양손으로 들 수 있는 방법도 물구나무서기가 유일하다. 물론 혈압이 높거나 눈병이나 목디스크가 있는 환자라면 삼가는 게 좋겠다.

7. 보약 중 보약, 침을 삼켜라

精의 진액, 삼키면 젊음 보충

배수진

선인들은 침, 타액을 '신액(腎掖)'이라 하였다. 침을 옥처럼 여겨서 '옥천'(玉泉), 신이 내린 물이란 뜻으로 '신수'(神水), 진액 중에 진액이라 하여 '금진옥액'이라는 말도 썼다.

침은 정액이나 호르몬처럼 정(精)이 액화한 것이다. 여러 양생 수련법에서는 침을 삼키는 방법을 '연진법'이라 하여 불로, 회춘의 비결로 삼고 있다. 침은 딴 곳에서 공급하는 것이 아니라 바로 체내에서 생산되는 것이며, 내뱉지 않는 한 체내에서 보충되기 때문에 입안에 모아서 삼킬 필요가 없는 것이 아닌가, 하는 생각을 할 수 있다.

그러나 침은 노력하여 분비를 촉진하지 않으면 나이가 들수록 생산량이 줄어든다. 침 생산량이 줄어든다는 것은 그만큼 노화하고 있다는 증거다.
어린이와 노인을 비교해도 나이가 들어감에 따라 침 분비량이 줄어들고 있다는 사실을 깨달을 수 있다. 정신적인 충격을 받앉을 때에도 입안이 바싹 마른다. 침 분비가 정신적, 육체적으로 관련이 있다는 증거다. 즉, 침 분비를 촉진해 다량의 침이 입안에 고이게 한 후 이를 삼키는 것이 젊음을 보충하는 데 필요하다고 보는 것이다. 인간이나 자연에는 각종 환경이나 질병으로 발생하는 모든 상황에 대처할 수 있는 물질이 내재해 있다. 타액도 그중의 하나다.

도가 수련법에서는 '잠깐 숨을 멈춘 채 이를 부딪치고 입천장을 마찰하면 옥액이 흘러나오는데 그것으로 양치질을 하고 천천히 삼키면 만년 장수하리라'는 말을 전하고 있다.

요가수련법에서도 침과 관련해 '케차리무드라'와 '사자자세'(싱하아사나·사진)가 있다. 케차리무드라는 혀를 눌러 입천장 위에 있는 통로로 집어넣고 두 눈썹 사이에 시선을 고정하는 자세다. 이는 침의 생성을 돕는 데 유용하다.

사자의 얼굴 모양을 취하는 '사자자세'도 마찬가지다. 무릎을 꿇은 자세로 앉아 양손의 손가락을 쫙 편 채 손바닥을 각각 무릎 위에 붙이고, 입을 크게 벌리며 목을 당긴 뒤 혀를 가능한 한 길게 턱쪽으로 쭉 뺀 채 입으로 숨을 쉬면서 정신을 통일하여 코끝을 응시하는 자세다. 우스꽝스럽지만 이 자세가 침샘을 많이 자극한다.

길거리에서 함부로 침을 뱉는 사람이 있는데, 더럽기도 하지만 보약을 버리는 행위다.

8. 뱀 자세

생명의 근원적 에너지를 똘똘 품다

임은주

허물을 벗어던지고 재생과 부활을 꿈꾼 계사년 뱀띠 해가 저물
어간다. 달랑거리며 남은 달력이 가볍다. 얼마 남지 않은 시간
을 차분히 잘 마무리했으면 좋겠다.

요가에 뱀 자세(사진·시범 장정원)가 있다. 뱀 중에서도 대가리
를 바짝 치켜든 코브라 자세이다. '쿤달리니' 또는 '쿤달리니
삭티'라고 하는 인체의 근본 에너지를 몸에 똘똘 감고 잠자는
생물이다. 바닥에 엎드려 양손을 가슴 옆에 붙인 뒤 상체를 서
서히 뒤로 젖히면 척추의 경락이 시원하게 뚫린다. 이때 가슴
속 응어리가 조금씩 녹는다.

뱀만큼 극단적인 평가를 받는 생명체가 또 있을까? 꿈틀거리는
몸뚱이, 섬뜩할 정도로 차가운 피부, 매서운 눈초리, 날름거리
는 혓바닥을 보면 다들 진저리를 친다. 아담과 이브를 유혹해
낙원에서 추방시켰지만, 이를 계기로 선과 악의 구별 능력을
인간에게 가져다 주었다. 그리스 로마 신화에 나오는 두 마리

24

뱀이 지팡이를 가운데 두고 서로 얽힌 '헤르메스의 지팡이'는 의술과 치유를 뜻하는 평화의 상징이다.

이집트에서는 나일강의 신이고, 호주 원주민에게는 바다의 신이다. 인도에서 뱀은 모든 신의 아버지인 비슈누를 물위에서 태어나게 한 신령스러운 동물이기도 하다. 우리의 민간 신앙에서도 뱀은 자주 등장한다. 대부분은 불길한 복수의 화신이지만 때때로 은혜를 갚은 영물로도 주목된다. 소망을 이루기 위해 비오는 날 승천하는 이무기도 뱀을 모태로 했다.

뱀은 집안의 재물을 관장하는 업신(業神)이기도 하다. 부자가 되는 것은 업이 들어온다고 했고, 재산을 탕진해 가난해지는 것은 업이 나간다고 했다. 뱀꿈을 꾸면 재수와 재물이 따르니 네 꿈을 나에게 팔아라는 말도 있다.

무엇보다 암수가 뒤엉겨 48시간 이상을 사랑할 수 있는 초절정의 정력은 숭상하지 않을 수 없다. 저 치명적인 독 속에는 다이아몬드가 감춰져 있으니…. 아는 자는 다 안다. 아름다운 장미엔 가시가 있고 미식가를 사로잡는 졸복어 속엔 맹독이 있다는 사실을. 이처럼 지고의 아름다움 속에는 지고의 독이 공존하는 것이다.

꾸물거리고, 꿈틀거리지만 그래도 조금씩 앞으로 나아가야 하는 것이 우리의 삶이다. 목표하는 방향으로 천천히 전진하는 뱀처럼 인생의 굴곡을 두려워하지 않는 것은 희망의 언덕이 바로 저 너머에 있기 때문은 아닐까? 동트는 아침, 웅크린 상체를 활짝 뒤로 젖힌 뱀 자세로 건강을 찾아볼 것을 권한다.

9. 카르마 요가

행동하라, 행복해지리라

임은주

구세군의 **빨간** 자선냄비가 등장했다. 자선의 종소리가 곳곳에서 울려퍼지고 있다.

사람은 혼자서 살아갈 수 없는 사회적 동물이다. 더불어 살아가는 삶은 무엇일까? 나눔과 베풂이 아닐까 싶다. 서로 돕고 서로가 서로를 채워 주는 과정, 자기 것을 덜어 내고 상대를 채워 주는 것은 자신을 비움으로써 스스로를 채워 가는 과정이다. 나눔을 통해 더욱 풍요로워진다는 말은 나눔이 채움이 된다는 말이다. 나눔은 상생의 한 방법이다. 탈무드에 '남을 행복하게 하는 것은 향수를 뿌리는 것과 같다. 뿌릴 때 자기에게도 몇 방울이 묻기 때문'이라는 구절이 나온다.

이번 주에는 카르마 요가를 소개한다. 카르마는 행동, 행위, 일, 실천, 업을 뜻한다. 삶은 행위의 연속이라는 점에서 삶의

26

현장에 직접 참여하여 행동함으로써 참 자아를 실현시킬 수 있다는 것이 카르마 요가다.

인도 고전인 '바가바드기타'에서는 '너의 의무는 행동 그 자체에 있지, 그 행동의 결과에 있는 것은 아니다'라는 대목이 나온다. 자연 법칙을 믿고 행동의 결실에 대한 기대감 없이 행동 그 자체의 기쁨으로 행하라는 얘기다. 물질이든, 마음이든, 시간이든, 재능 기부든 베풀 수 있는 방법은 무궁하다. 사심, 즉 행동의 결과로 기대되는 이기적인 효과가 없는, 이러한 행동이 보다 큰 우주적 기쁨이며 행복이므로, 행의 결과와 관계가 없어도 저절로 신성한 영적 의식이 자리잡게 된다는 것이다. 일상적으로 누군가를 원망하고 비난하며 증오하고 또한 실망하는 것은 자신의 행동에 대한 반대급부적인, 이 이기적인 기대감 때문이다.

베풀 때 그 행동의 결실에 대해 이기적인 기대감을 갖지 않는 것이 '무욕'행의 가르침이고 카르마 요가의 핵심이다. 성현들의 '무주상보시'(無住相布施), 즉 베풀되 '상'(相)을 내지 말라는 것과, '오른손이 하는 일을 왼손이 모르게 하라'는 예수의 가르침도 같은 맥락에서 이해될 수 있다. 카르마 요가의 실천은 곧 성자의 삶을 살아가는 것이다.

사랑하면 예뻐지는 것처럼 카르마 요가를 실천하면 행복 바이러스가 증가한다. 형편이 나아지면, 시간이 나면, 마음의 여유가 생기면 하겠다고 하는 사람은 끝내 못 한다. 실천 의지가 가장 중요하다. 지금 바로 이 순간, 카르마 요가를 행동으로 실천해 보자.

10. 술과 요가

약간의 음주는 명상을 돕는다

제야의 종소리가 울려 퍼질 시간이 얼마 남지 않았다. 세밑에 동창회, 계모임, 동우회 등의 송년회를 핑계로 술을 많이 마셨을 것이다. 물론 요즘에는 연극이나 음악회, 오페라 등 문화공연 관람으로 송년회를 대체하는 모임도 늘었다고 들었다.

그럼에도 세밑 모임의 대세는 여전히 술자리가 아닐까 싶다. 술자리가 워낙 많은 시기이다 보니 과음을 우려하는 목소리가 크지만, 술은 옛 선인들에게도 큰 고민이었다. 그래서 술도 잘 활용하면 약이 될 수 있다는 경구가 나온 것이 아닌가 생각된다.

요가는 술과 전혀 관계가 없다고 생각하기 쉽다. 하지만 요가에서도 약간의 술은 기혈 순환을 도와 몸을 더 부드럽게 만들고, 명상도 더 순조롭게 해 준다고 보고 있다. 고대 인도에서는 술을 범어로 '마디아'라고 불렀는데, 흔히들 '소마'(Soma), 즉 '감로주'라고도 하며 이를 각종 제례의식 때 사용했다. 금욕적인 수행 분위기에서는 술 한 방울조차도 금기시하는데, 고전 요가에서는 모든 물질 에너지가 신체를 통해 정신 에너지로 순환될

수 있다는 믿음을 가졌던 것이다. 술뿐 아니라 고기나 섹스 등
도 허용했다. 성속, 미추, 고저가 하나의 원만한 통합체라는 의
식이 있었던 것이다.

묘합(妙合) 상생이라는 말이 있다. 상극도 상황에 따라 상생이
될 수 있다는 것이다. 이른바 차를 마시면 기를 끌어들이고, 술
을 마시면 기가 흩어지는데, 이런 수렴과 발산 과정이 오히려
최고의 상생 지점에 이르는 길이라는 깨달음이다. 문제는 무엇
을 어디에 사용하느냐다. 이른바 궁합을 맞추는 것인데, 아무리
지독한 독약도 사용처에 따라 명약이 되는 것과 같은 이치다.
명약일수록 독성이 강하다는 말도 그냥 나온 게 아니다.

차나 술도 다르지 않다. 마음이 들떠 있을 때, 혹은 참된 자아
를 찾아가고 싶을 때 차 한 잔은 정신을 맑게 해 준다. 또 눈
빛만 보아도 통한다는 지음의 우정을 확인하고 싶을 때, 연인
과 더불어 감성의 창을 두드리고 싶을 때 한 잔의 술만큼 좋은
것은 없다.

시인 예이츠는 '술은 입으로 들어오고 사랑은 눈으로 들어오니,
잔 들어 그대 바라보며 한숨 짓노라'라고 읊조렸다. 세상을 살
아가면서 늘 맑은 차만 필요한 것은 아니다. 차와 술이 어울리
는 멋과 맛이 다 필요하다. 때로는 명징한 이성으로 판단하되,
때로는 아무리 애써도 해결하지 못한 일을 술 몇 잔으로 처리
했다는 전설 아닌 전설도 필요하다. 그것이 범부의 삶이다. 술
이 차를 품었다고, 차가 술을 품었다고 마냥 눈을 흘길 일이
아니다.

11. 말(馬) 자세

말 자세 수련법으로 기 충전을

김영희

새해는 말의 해이다. 말은 인간과 오랫동안 인연을 맺었다. 박력과 생동감이 넘치는 동물이며, 뛰어난 순발력과 역동성이 돋보이고, 탄력 있는 근육, 미끈하고 탄탄한 체형, 기름진 모발, 각질의 말굽을 지녔다. 용맹스럽지만 거만하지 않은 것도 말의 여러 덕목 중 하나다.

말은 신마, 천마, 기린마 등의 이름에서 알 수 있듯이 예부터 성스러운 지위를 획득했다. 또 좀처럼 눕지 않고 서서 자는, 이른바 '장립불와(長立不臥)'의 수행 동물'로도 지칭되고 있다.

삼국지에 나오는 관우의 적토마, 암행어사 이몽룡의 마패, 자작나무 껍질에 그려진 천마도도 범상치 않은 말의 지위다. 동부

여의 금와, 고구려의 주몽, 신라의 박혁거세 등의 건국 신화에도 말은 빠짐없이 등장한다. 자동차 이름인 포니, 갤로퍼, 에쿠스, 페라리 등도 말과 관련된다.

요가의 어원도 '유즈'다. 산스크리트 어로 '결합, 집중, 합일, 묶음'을 뜻하지만 '말을 마차에 매다'라는 의미도 갖고 있다. 말 이름이 들어간 수련법도 있다. 그중 하나가 항문 괄약근을 수축시키는 '아스비니무드라'다. 여기서 '아스바'가 말을 지칭한다. 항문 수축이란 것이 장의 내용물을 배설한 직후 괄약근을 죄는 말의 행태를 닮았다는 데서 이런 이름이 붙었다. 항문이 열려 있으면 기가 밖으로 새어 나간다고 믿는 것이다. 숨을 내쉴 때 항문을 죄고, 숨을 들이마실 때 이를 이완시킨다.

항문 수축력(괄약근)이 강하다는 것은 젊다는 뜻이며, 거꾸로 항문 수축력이 약해지면 늙은 것이다. 어린이 항문은 손가락 하나조차 들어가지 못할 정도로 탄력적이다.

두 번째로 '바타야나아사나'라는 요가 자세도 있다. 여기에도 말을 뜻하는 '아사나'가 들어 있다. 이 자세는 발목과 무릎 관절을 풀어주는 데 제격인데, 두 팔을 서로 꼬아 하늘을 향하게 하고, 다리 한쪽은 발바닥이 위로 향하도록 한 상태에서 반대편 다리의 허벅지에 올리면 된다. 이때 엉덩이는 든다.

이처럼 항문을 꽉 죄는 말 자세는 건강을 돕는다. 새해 청마나 백마를 타고 올 귀인을 만나고 싶다면 지금부터라도 말 자세에 관심을 가져 보는 게 좋을 듯하다.

12. 나무자세

평형감각·집중력 향상에 효과

김미선

한겨울이다. 풍성하던 잎이 다 떨어지고 찬바람과 추위를 견디며 을씨년스럽게 서 있는 겨울 나무를 보게 된다. 저렇듯 죽은 듯 침묵하며 있다가도 봄이 오면 시나브로 새순을 틔우는 모습은 참으로 경이롭다.

우리가 살아 간다는 건 인간은 물론이고 지구상의 모든 동·식물, 심지어 무생물과의 교감을 의미한다. 그중에서도 나무는 자연과 사람을 하나로 묶는, 가장 중요한 존재이다. 수많은 고대 신화와 전설은 나무를 생명력과 땅을 연결하는 매개체로서 세계 중심에 놓아 나무의 강력한 에너지를 찬양했다.

인간은 자연에서 왔다가 자연으로 돌아간다. 결국 인간의 영혼이 의지할 곳은 자연인 것이다. 그래서 누구나 마음속에 늘 푸르고 아름다운 비밀의 정원 하나쯤을 품고 있는지 모르겠다.
인도 고대 경전인 우파니샤드는 우주에 대해 '뿌리가 하늘을 향하고 가지가 땅속으로 뻗어 가는 거꾸로 된 나무'라고 표현하고 있다. 이는 자연이 간직한 영성의 가치를 나무에 비유한 것이다.

근래 관심이 높아진 수목장도 이와 맥락을 함께한다고 볼 수 있겠다. 쓸모없는 나무는 없다. 굽으면 굽은 대로 용도가 있다. 단지 쓸모가 다를 뿐이다. 사람도 마찬가지다. 그러나 썩었거나 군더더기처럼 된 가지는 솎아 내야 한다. 그래야 열매가 제대로 열린다.

요가에도 나무의 모양을 흉내낸 자세가 있다. 한 발을 들어 올려 허벅지에 붙이고 양손을 맞붙여 머리 위로 올린 뒤 정면의 한 점을 응시한다. 이런 자세는 몸의 평형감각을 되살려 준다. 기억력이나 판단력 같은 인지 기능이 떨어지는 현상을 치매의 대표적인 전조라고 하는데, 최근 의학계 연구 발표를 보면 한 발로 오래 서 있는 노인일수록 치매 진행 속도가 늦다고 한다. 뇌신경세포를 활성화시키는 효과 때문이리라.

하나의 대상을 향한 의식의 집중을 범어로 '에카그라타'라고 하는데, 이 자세는 산란한 마음을 억제하고 에카그라타, 즉 집중력을 향상시켜 주는 효과가 크다. 또 허벅지 군살을 없애 주고 하체를 강건하게 해 준다. 비바람의 모진 세월을 견딘 나무의 그늘이 더 깊은 것처럼, 뿌리가 깊은 나무가 바람에 잘 흔들리지 않는 것처럼, 심지가 곧아야 잡다한 유혹에서 의연해질 수 있다. 나무가 된 것처럼, 아니 나무가 내가 된 것처럼 나무자세를 한 번 취해 보자.

13. 거북이 자세

척추 부드럽게 하고 복부에 활기

권수현

신심이 깊은 노모의 아들이 바다에서 조난 당했을 때 거북이 등에 태워 줘 살았다는 전설이 있다. 고대 중국에서는 거북 등에 글을 써서 점괘로 미래를 예측했다. 갑골문자는 거북 등에 새겼다. 인도 고전인 바가바드기타에서는 '껍데기 속으로 머리와 팔, 다리를 숨긴 거북처럼 감각의 대상으로부터 자신의 감각을 회수할 때 지혜는 더 확고해진다'고 했다.

'거북아 거북아, 네 목을 내어놓아라. 네 목을 내어놓지 않으면 구워서 먹으리라' 하고 회유하고 협박해도 요지부동. 오로지 자신의 오감을 통제하여 자아를 다스리며 스스로 허용하지 않는 한 그 누구도 그 내면의 힘을 꺾을 수 없는 뚜벅뚜벅 독립독행(獨立獨行)의 길을 가는 옹골진 삶의 표상이다. 진정한 자기 통제의 화신 같다. 거북의 몸은 부드럽고 강하다. 삶의 다양한 상황은 때로는 강철처럼 단단하고, 때로는 엿가락처럼 부드러울 것을 요구한다.

거북은 장수하는 동물이다. 밥도 적게 먹는다. 이 같은 소식을 통해 몸을 가볍게 한다. 꾸역꾸역 폭식을 일삼는 현대인이 눈여겨봐야 할 습성이다. 거북은 느림의 미학을 깨우친다. 인도에는 50m 거리를 두 발 자전거를 타고 가장 늦게 결승점에 도달하는 사람이 우승하는 경기가 있다. 빠름에 대한 상식을 뒤엎은 역설적 경기이다.

근대 과학의 화두는 스피드였다. 빠르게, 더 빠르게, 좀 더 빠르게. 하지만 그 결과 우리는 예상하지 못한 많은 문제를 겪고 있다. 그럼에도 통신·운송 수단은 "더 빠르게"를 외치고 있다. 속도에 휩쓸린 나머지 차분하게 생각하면서 음미하는 여유가 사라졌다. 요가에서 거북 자세는 껍데기 속으로 숨어든 거북의 모양과 비슷하다.

가슴과 어깨를 바닥에 대고 무릎은 약간 구부려 등에 올린 팔을 살짝 감쌌다. 이때 손바닥은 위로 향한다. 이 자세는 척추를 부드럽게 하고 복부를 활기있게 해 준다. 뇌신경을 진정시켜 주는 효과도 있다.

영국 격언에 '빨리 가기 위해 천천히 가라'라는 말이 있다. 급할수록 숨을 고르며 자신의 내면에 귀를 기울이라는 얘기다. 그때 비로소 사물을 직시할 수 있다. 뭐든지 천천히, 꾸준히 하는 태도를 거북 자세에서 배워 볼 일이다.

14. 목욕

소금물 콧속으로 넣어 비강 정화

장정원

요즘처럼 추위가 온몸을 휘감을 때, 뜨거운 온천물에 목까지 담그면 모든 근심이 사라진다. 물이 주는 목욕이란 선물이다. 목욕은 물의 온도와 성분, 목욕 부위 등에 따라 고온욕, 냉욕, 반신욕, 족욕, 해수욕, 쑥탕욕, 노천욕 등으로 불린다. 목욕은 신체를 가꾸고 다듬기 위한 방법 중 하나다. 혈액 순환을 촉진하여 피로를 풀어주고 근육통에도 효과적이다.

이러한 목욕 문화는 고대에서도 발달했다. 구약성서를 비롯한 여러 고문헌에 목욕에 관한 기록이 나온다. 요가 발생지인 인도 모헨조다로 유적지에서 발견된 거대한 공중목욕탕과 석관을 이용한 배수시설은 로마 전성시대의 그것에 못지않았다.

인간을 비롯한 모든 생명체는 물 없이 잠시도 살 수 없다. 자연 철학의 시조인 탈레스는 물을 '만물의 근원'이라고 했다. 중국의 관자는 물을 가리켜 '만물의 본원이며 모든 생명의 바탕'

이라고 했다. 물은 매우 훌륭한 용매다. 거의 모든 물질을 녹일 수 있다. 바꾸어 말하면 물에 우주 만물이 녹아 있는 셈이다. 동의보감에는 물을 국화수, 생숙탕 등 모두 33종류로 분류해 설명하고 있다.

물과 관련된 한자 숙어 중 '수적석천(水滴石穿)'은 똑똑 떨어지는 물방울이 돌에 구멍을 낸다는 뜻으로, 부단히 노력하면 아무리 어려운 일도 이룰 수 있다는 말이다. 요가에서도 물을 사용하는 신체의 정화법이 중시된다. 그 정화법 중 콧속(비강) 정화에 해당하는 '잘라네티'는 한쪽 콧구멍에 소금물을 삽입한 후 다른 쪽으로 나오게 하는 요가다.

문명 발생의 근원인 물은 생명력과 친화력뿐 아니라 심신의 오염을 제거하고 부정을 물리치는 힘을 상징하고 있다. 그래서 물이나 강을 신성한 것으로 생각하는 민족이 많다. 세계 4대 문명도 모두 강에서 비롯됐다. 할머니, 어머니가 이른 새벽에 목욕재계하고 정화수를 떠 놓고 기원하는 모습도 이와 무관하지 않다.

인도인들은 히말라야의 빙하를 원천으로 하는 갠지스 강을 신성하게 여기는데, 이 강을 신격화하여 강의 어머니, 즉 '강가'라고 칭했다. 강가는 생명력과 정화력의 원천이고 천상과 지상을 연결해 주는 곳이다.

오늘도 목욕탕 속에서 '순간순간 새롭게 태어남으로써 날마다 새로운 날을 이룰 때 그 삶에는 신선한 바람과 향기로운 뜰이 마련된다'는 법정스님의 말씀을 되뇐다.

15. 소머리 자세

마음 안정시켜 주고 골반 교정

황은주

인도란 땅에 발을 딛고/뉴델리 공항을 한 발 나서면/제일 먼저 /선한 눈 깜빡거리며/명상에 잠긴 듯/어슬렁거리고 있는 소를 만난다/전생에 무슨 선업(善業) 지었길래/신의 한 반열에 앉아 서/(중략)/종일 베다 경전을 읊조리고 있다.'(최진태의 시 '인도 의 소' 중에서)

인도 땅을 처음으로 밟았을 때 가장 먼저 눈길을 사로잡은 것은 소였다. 사람과 자동차로 꽉 찬 도시에서는, 한적한 시골에서든 먹이를 찾아 어슬렁거리는 소를 만났다. 인도라는 낯선 풍경에 긴장했다가도 소를 보면 금방 마음이 풀렸다. 사람과 동물이 자연스레 어울리는 모습은 보기가 좋았던 것이다.

인도인은 암소를 신이 준 선물로 여긴다. 분비물인 소똥도 소중하고 신성하게 생각한다. 시골에 가면 소똥과 풀을 섞어서 손으로 빚어 담벼락에 붙인다. 물론 천연가스가 보급되기 전까

38

지 쇠똥은 중요한 연료였다. 지금도 시골에선 이를 말려 땔감으로 쓴다. 다른 연료와 달리 화력이 처음부터 끝까지 일정해서 음식이 타거나 눋지 않기 때문이다. 곤충이나 뱀의 접근을 막는 효과도 있고, 부정탄 것을 정화하는 수단으로도 쓰인다.

암소가 생산하는 5가지를 '성물'(聖物)이라고 하는데, 소똥, 소오줌, 우유, 요구르트, 버터다. 인도 신화에서 신이 타고 다니는 암소를 '난디('행복한 자'라는 뜻)'라고 부른다. 신과 인간을 잇는 매개자 역할을 하는 것도 암소다. 서양의 천사와 같은 개념이자 지위를 갖고 있다.

요가에는 '소머리자세', 즉 '고무카아사나'가 있다. '고'는 암소, '무카'는 얼굴을 의미한다. 이 자세는 소 얼굴과 비슷한 데서 유래했다.

무릎을 꿇은 자세에서 왼쪽 다리를 오른쪽 다리 위에 엇갈리게 놓아 체중이 두 다리 뒤쪽으로 실리게 한다. 오른팔을 들어 올려 팔꿈치를 굽힌 뒤 손이 등 뒤 목덜미 아랫부분에 닿게 한다. 왼팔은 등 뒤로 굽혀 올려 양손을 맞잡는다. 그리고 앞으로 상체를 숙인다. 팔 다리를 바꿔 반복한다.

이 자세는 산란한 마음을 가라앉히고 정신적 긴장을 해소시켜 주는 명상자세다. 어깨. 목 근육의 긴장을 풀어 주고 뒤틀린 골반을 교정해 주는 효과가 크다. 소머리자세처럼 요가에서는 동물의 모양을 딴 자세가 많다. 지구의 모든 생명체와 어울려 살아가야 한다는 의미가 아닐까 싶다.

16. 요가와 성

性을 聖으로 바꿔 주는 요가의 구도

최진태

요가에서 우주의 생식력 또는 생성력이라고 하는 '사크티 (Sakti)'는 우주의 원천적인 힘인 성(性) 에너지를 뜻한다. 성은 성스러운 우주이고, 각 개체의 모든 에너지의 기본은 성력(性 力)이다. 성력의 성숙과 그 활용이 끝나면 삶의 흐름도 멈춘 다.

이 사크티를 일깨우는 것이 요가다. 성은 대상에 따라 성스럽 기도 하고 추하기도 한데, 이런 성적 욕구를 그대로 인정하되 이를 다른 형태로 바꿀 필요가 있었다. 그것이 바로 요가다. 구 도의 한 방법으로, 요가는 성(性) 에너지를 성(聖) 에너지로 바 꿔 준다. 성과 속은 사실 단일한 에너지의 양극인 것이다.

탄트라 경전에 의하면 '가장 고귀한 것은 가장 천하고 흔한 것 속에 감춰져 있다'고 했다. '카마'는 그리스로마신화의 큐피드 처럼 사랑의 신으로 통한다. 즉, 욕망과 애정, 애욕을 주재하는 것이다. 리그베다에서 카마는 생명을 지닌 유일자를 처음으로

40

움직이게 하는 힘이라고 했다. 그 카마가 한 권의 경전으로 묶인 것이 바로 '카마수트라'다. 카마수트라는 성에 관한 지침서이자 안내서이다. 지금도 인도에서는 시집가는 딸에게 넣어 주는 혼수품 제1호로 통한다.

인도의 카주라호 사원에 가면 간디가 "다 부숴 버리고 싶다"고 토로한 부조상이 있는데, 그것은 남녀의 다양한 체위를 묘사하고 있다. 이렇듯 인도는 성이 넘치는 에로스의 천국인 동시에 명상과 금욕을 실천하는 두 얼굴을 지닌 나라다. 인도 신화에서도 금욕적인 신과 에로틱한 신이라는 모순적인 이미지가 동시에 등장한다.

요가에는 사랑 처방법이 있다. 남성은 전후 작용의 폭이 커 군대에서 반동을 주며 노래하듯이 골반을 좌우로 흔들어 주든가, 두 다리를 모아서 성력을 가동시키고자 하므로 두 다리를 최대한 옆으로 벌려 골반을 열어 주는 동작을 하는 것이 좋다. 여성은 두 무릎을 구부려 열린 상태로 작용하므로 허리 비틀기, 소머리 자세 등을 통해 골반 좁히기를 하는 것이 도움이 된다.

두 팔을 뒤로 보내기 운동과 복식호흡 등을 통해 혈액 순환을 돕고 항문을 수축시켜 성력을 각성시키며 숨 멈추기를 연습하여 지구력을 강화시키는 것은 남녀 모두에게 이롭다.

요가의 한 유파인 '쿤달리니 요가'의 환정술에서도 소변을 끊어 보는 '바즈롤리무드라'와 현대의 요료법이라고 하는 '아마롤리무드라'를 권장하고 있다. 자연은 부분을 합할 때 합 이상의 기쁨과 환희를 느끼게 해 준다. 이를 위해 남남으로 돌아가 혼자가 되는 것이 자연의 법칙이고 생명의 사랑 법칙이다. 우리 선조는 부부라도 각방을 썼다. 이를 통해 조금씩 더 가까워지려는 몸짓과 마음을 가지려 노력했다.

"같이 서 있되 너무 가까이 서지 말라/성전의 두 기둥은 서로 떨어져 있으며/전나무와 사이프러스 나무도/서로의 그늘 속에서 자랄 수 없다." 칼릴 지브란의 '사랑과 결혼의 시' 중 일부이다.

17. 태양 경배 체조

12가지 자세로 몸을 바로잡아 줘

임은주

태양경배체조는 범어로 '수리야나마스카'라고 한다. 수리야는 태양이며 나마스카는 인사, 경배를 뜻한다. 태양은 모든 생명체의 근원이자 인류 생명 에너지의 원천이 된다. 태양은 모든 우주체 중에서 가장 위대한 힘을 가졌다. 시와 노래, 음악, 예언, 의술 등 인간의 지적, 문화적 활동의 수호신으로도 묘사되고 있다. 그리스 신화의 태양신, 아폴론을 떠올리게 한다. 지구상의 모든 동식물은 태양 에너지의 영향을 받고 있다. 인도인들은 수리야를 병을 치유하는 의사이자 희망을 주는 자로 여긴다. 태양은 모든 에너지의 바탕이기 때문이다.

요가생리학에서 기(氣)의 통로라는 '나디'가 8만 4천 개 있는데, 그중 가장 중요한 것은 '이다'와 '핑갈라'다. 이다는 음의 기운을 상징하는 달이고, 핑갈라는 양의 기운인 태양과 연관 있다.

중국 선도에도 사람 몸이 해와 달, 지구와 하나가 되어 수련하는 소주천, 대주천 공법이 있다. 전통적으로 태양경배체조는 태양이 영적인 의식의 상징으로 경배의 대상이라는 점에서 동이 틀 때 태양을 마주보며 행하도록 하고 있다.

이 체조는 태양의 방위 중에서 가장 강한 12방위에서 나오는 정기를 소우주인 내 몸속으로 끌어들이는 열두 가지 자세로 구성되어 있다. 물 흐르듯 이어지는 역동적인 움직임에 따라 춤처럼 유연하게 실행한다. 이 체조는 가슴을 확장시키고, 사지를 아름답게 하며, 피부 장애를 없애 주고, 멀미를 제거하고, 소화 촉진을 돕는다. 또 앞으로 굽은 자세를 바로잡아 주며, 밝은 마음과 삶에 대한 긍정적 태도를 갖게 해 준다.

그러나 태양은 하늘에 떠올라 그 빛으로 세상을 비출 뿐이다. 태양이 활동한다고 말하는 사람이 있지만, 태양은 사실 존재하고 있을 뿐이다. 행한 일에 상(相)을 내지도 않는다. 노자의 가르침처럼 공(功)을 이루되 그 공에 머무르지 않는다. 인도의 고전 바가바드기타에서 수리야를 '영원한 생명의 원리(다르마)'라고 말하듯 태양은 늘 만물에 차별 없이 빛을 나눠 주고 있다. 사사로운 욕심이 사라진, 완전한 비움이다. 덕분에 태양은 늙지 않는다. 창조처럼 태양은 늘 젊다.

태양경배체조를 하면서 간과하지 말아야 할 것은 그 반대에 있는 '어둠'이다. 어둠이 있기에 밝음도 있는 것이다. 어둠은 삶의 깊은 휴식이고 있음(有)을 잊게 하는 무(無)의 세계이다. 빛이 사라지면 어둠이 자리 잡는다.

18. 박쥐자세

골반·요추 디스크 치유에 효과

김규리

통영의 한 폐광에서 황금색을 띤 박쥐가 발견돼 언론의 주목을 받았다. 전 세계 1천여 종의 박쥐 중에서도 황금박쥐는 귀한 존재로 알려졌다. 아무튼 하늘을 나는 박쥐는 새일까, 아닐까? 정답은 '새가 아니다'이다. 박쥐는 젖을 먹여 새끼를 키우는 포유류란다. 박쥐는 밤에 활동하며 초음파를 쏘아 사물을 구별한다.

중국에는 '모기눈알 요리'라는 것이 있다. 아주 귀한 손님에게만 내어놓는 음식인데, 원재료가 박쥐 똥이다. 박쥐는 주로 거꾸로 매달려 산다. 쉴 때나, 잠잘 때나, 새끼에게 먹이를 줄 때도 천장에 대롱대롱 매달린다. 발가락이 거꾸로 매달리기에 알맞게 생겼다. 그러고 보면 '요가의 왕' 자세라고 일컬어지는 물구나무서기를 온종일 수행하는 박쥐야말로 진정한 '최고의 요가 수행자'가 아닐지.

서양에서 박쥐는 부정적이며 밤의 이미지를 떠올리게 하지만 동양에서는 예로부터 경사와 행운을 나타내는 오복의 상징으로 회화, 공예품, 가구 장식 등에서 많이 사용됐다.

요가에서도 바로 앉아 두 발을 최대한 넓게 벌린 뒤 양손을 앞으로 내밀면서 머리, 가슴, 아랫배가 닿도록 하는 것이 박쥐를 닮았다고 하여 '박쥐자세'로 불리고 있다.

대퇴부나 종아리에 무리가 없는 정도에서 호흡을 일시 멈춘 다음 천천히 상체를 일으켜 세운다. 무릎을 쭉 펴고 발끝을 당긴다. 이 자세는 신장을 강화시키고 부신 호르몬의 균형을 가져와서 스트레스 해소에 효과적이다. 평소에 두 다리를 가까이 모으고 살아가는 조건에서 치우침을 해소하기 위한 동작으로, 남성의 성 생활에 대한 반성법으로도 알려졌다. 특히 골반, 요추 디스크, 부인과 계통의 치유에 효험이 있다고 한다.

요가 경전인 '시바 상히타'에서는 분노한 신의 모습에 비유하여 '준엄좌(峻嚴座)'라고도 한다. 세상에서 잘못된 것이나 그 의미를 다한 것은 변화의 국면을 맞게 하고, 그러한 변화는 불의 기운, 열의, 열정에 의해 일어난다. 새로운 창조를 준비하는 파괴적이고 열정적인 의지를 표상하는 자세이다.

정신적으로 포용성이 커지고 골반을 벌리는 능력은 가슴을 벌리는 능력과 비례하므로 마음을 넓고 안정되게 만든다. 박쥐자세를 통해 짓눌린 삶의 무게를 잠시 덜었으면 좋겠다. 겨우내 움츠린 가슴을 펴고 새봄을 맞는 요즘, 시작하기에 좋은 자세다.

19. 삼각 자세

척추 유연해지고 균형감 키워 줘

서유희

숫자에는 수의 개념을 넘어선 상징이 숨어 있다. 우리 신화에도 '3'이라는 숫자가 많이 등장한다. 천부인 3개, 환웅이 이끌고 온 3천 명의 신하, 다리가 셋 달린 삼족오, 머리가 셋 달린 삼두매 등이 그렇다.

이 밖에 삼신할머니도 있고, 아기를 낳은 뒤 세 차례 상을 차린 삼신상도 있다. 부모님이 돌아가시면 삼년상을 지냈고, 음력 3월 3일은 봄이 시작되는 삼짇날이다. 심마니는 산삼을 발견하면 '심봤다'를 세 차례 외쳤다. 향을 피우는 향로의 다리도 세 개다.

내기는 삼세판이 기본이고, 사진을 찍을 때도 "하나, 둘, 셋"을 외쳤다. '세 살 버릇 여든까지 간다' '서당개 3년이면 풍월을 읊는다' '세 사람만 우기면 호랑이도 만들어 낼 수 있다' '겉보리 서 말이면 처가살이 안 한다' 등의 속담도 있다.

외국은 어떨까? 인도 신화에 창조, 유지, 소멸의 과정을 나타내는 세 신(神)이 등장한다. 또 인간의 속성을 세 가지 성질, 즉 밝고(明質), 움직이고(動質), 어두운 성질(暗質)로 설정했다. 로마는 일찍부터 삼두정치를 선호했다. 바다의 신 포세이돈은 힘의 상징인 삼지창을 지녔다.

'트리코나 아사나'라고 하는 요가의 삼각 자세는 두 다리를 어깨너비의 두 배 정도로 벌려 두 팔을 수평으로 뻗는 자세다. 숨을 내쉬면서 오른쪽으로 상체를 기울여 오른손으로 오른 발목 또는 바닥을 짚는다. 왼팔은 쭉 뻗어서 위로 향하게 하고 시선은 손끝에 둔다. 반대로도 한다.

이 자세를 취할 때 삼각형이 여러 개 만들어진다는 뜻에서 이런 이름이 붙었다. 척추와 늑골이 유연해지고 다리가 강화된다. 또 폐활량과 집중력, 균형감각을 길러주며 소화력도 좋아진다.

삼각형의 특성은 강함이며, 무게를 버티고 압력에 저항하는 힘이다. 삼각 자세로 서서 균형을 잡고 자세를 유지할 수 있을 때, 정확한 집중이 가능해진다. 이 자세를 통하여 육체적 균형력이 얻어지면 일상의 모든 분야에서 필요한 생명력이 솟아오른다.

비록 세파에 흔들릴 망정 굳건히 견뎌내며, 인간 본연의 중심, 참된 나(眞我)를 놓치지 않고 당당하게 맞서서 살아가야 함을 되새기게 하는 자세다.

20. 활 자세

요통·변비·소화 장애 해소에 효과

김규리

박해일, 류승룡, 문채원이 주연한 영화 '최종병기 활'(2005) 때문에 한동안 활에 대한 관심이 높아진 적이 있다.

활은 인간의 수많은 병기 중에서도 아주 오래된 것 중 하나다. 특히 칼과 달리 공간과 시간의 제약을 벗어나게 한 도구다. 올림픽에서는 양궁이 유일한 활 종목으로 지정됐지만, 활은 이밖에도 국궁, 석궁, 각궁, 철궁, 단궁, 죽궁, 목궁 등에서 다양한 모양으로 사용된다.

활은 역사와 함께했다. 건국신화에서 주몽, 이성계는 명궁사로 등장한다. 서양에서도 태양의 신인 아폴론은 활 쏘기의 명수였다. 인도 고전인 바가바드기타에서는 주인공인 아르주나가 최고의 명궁사다. 사랑의 신인 큐피드도 활과 관련 있다. 큐피드와 같은 역할의 고대 인도 신은 '카마'로, 그는 연인들의 심장에 사랑의 화살을 꽂았다. 칼릴 지브란의 '예언자'에도 활 이야기가 나온다.

활은 궁도라는 장르를 통해 자신의 마음을 다스리는 수련 방법으로도 인기가 높다. 그러나 이와 다르게 활 모양을 통해 신체의 기운을 회전시키는 것도 많다. 요가도 그중 하나다. 특히 활자세는 마음을 넉넉하게 하고 배짱과 담력을 키우는 효과가 크다고 전한다.

복부를 바닥에 대고 엎드린다. 두 손으로 발목을 잡고 두 다리는 하늘로 향한다. 몸이 활처럼 휘어질 때 머리를 뒤로 힘껏 젖힌다. 무게는 오직 배로만 지탱한다. 이 같은 동작을 몇 차례 반복한 뒤 돌아누워, 이번에는 거꾸로 무릎을 두 손으로 쥔 상태에서 몸을 푼다. 이 자세를 반복하면 좌식 생활에서 생긴 요통, 견비통, 두통, 변비, 생리이상, 소화 장애 등이 해소된다.

활자세는 척추가 유연해야 하지만 동시에 힘과 균형도 요구한다. 앞으로 숙이는 것이 겸손의 의미이고, 뒤로 젖히는 자세는 수용과 비상(飛上)을 뜻한다. 그러나 활을 너무 세게 잡아 당기면 부러지 듯 과욕은 늘 삼가야 한다.

 "지금 이 순간 무엇을 원하는가? 가슴을 펴고 숨을 고른 다음 의식을 한 점에 모아 목표를 겨누어라. 그리고 일단 떠난 것에는 미련을 두지 말라"는 경구를 떠올리며 활 자세를 취해 보자.

21. 낙타 자세

호흡기 강화, 허리 튼튼하게 해 줘

허수정

우리 삶은 종종 '사막에서 무거운 짐을 지고 터벅터벅 걸어가는 여정'에 비유된다. 사막은 그만큼 삭막하고 힘든 곳이다. 그럼에도 낙타는 사막에서 자유롭다. 심지어 많은 짐과 사람을 자신의 등에 태우고도 덤덤하게 사막을 건넌다.

낙타는 선천적으로 사막살이에 장점이 많다. 긴 다리는 몸이 지열을 덜 받게 하고, 두꺼운 털은 방출되는 열을 차단하는 단열재 구실을 한다. 발바닥은 지방으로 돼 있어 사막에서 걷거나 뛸 때 유리하다.

머리는 햇빛 가리개 역할을 한다. 눈을 감은 것처럼 보이지만 얇은 눈꺼풀을 통해 모래 폭풍 속에서도 앞을 볼 수 있다. 눈물샘에서 공급되는 눈물은 각막이 마르지 않도록 한다. 눈물은 코와 연결된 관을 통해 다시 몸속으로 들어가 물 낭비를 줄인다. 또 코와 귀는 모래가 들어오는 것을 막는 기능이 있다. 이런 환경 적응력 때문에 낙타를 고행의 상징으로 삼은 작품도 많다. 다큐멘터리 영화 '낙타의 눈물'(2003)은 낙타와 함께하는 몽골 유목민들의 일상을 담담하게 보여 준다. '배움 너머'의 노래 '낙타의 눈물'도 마찬가지다. 척박한 환경을 이기고 살아가는 낙타에게서 배움을 찾자는 의미를 담았다.

요가에서도 '낙타 자세'라는 것이 있다. 무릎을 꿇어앉아 엉덩이를 들어 올린 상태에서 머리를 뒤로 한껏 젖힌 자세다. 이때 넓적다리를 바닥과 수직이 되도록 유지하며, 양손으로 양발 뒤꿈치나 발목을 잡으면 된다. 이 자세는 낙타가 앉았다가 일어나거나, 뒤로 목을 구부린 모양을 닮았다. 폐와 기관지를 비롯한 호흡기를 강화시키고, 굽어진 어깨를 풀어주고, 허리를 튼튼하게 하는 효과가 있는 것으로 알려졌다.

어느 시인이 '영적인 삶을 사는 사람은 자신 속에 조용히 앉아 있어도 그의 영혼은 길가에 핀 풀꽃처럼 눈부시다'고 했다. 아름답고 순수한 것은 처절한 고통 속에서 피어날 때가 많다는 얘기다. 낙타 자세를 취하면서 육체의 건강은 물론이고 마음과 영혼의 건강도 챙겨 볼 일이다.

22. 쟁기 자세

변비에 좋고 척추 유연성 높여줘

서유희

쟁기는 논밭을 가는 데 필요한 농기구다. 땅을 갈아엎고, 잡초를 제거하고, 파종할 때 주로 사용된다. 쇠로 된 보습을 사용하기 전에는 나무나 돌을 다듬어서 썼다.

쟁기는 쇠로 만든 연장이나 무기를 뜻하는 '잠개'에서 비롯됐다. 이것이 나중에 쟁기가 됐다고 한다. 쟁기는 페루, 이집트, 인도, 중국, 일본 등에서도 사용된 것으로 알려졌다. 예전에는 청년이 결혼을 할 수 있는지 여부를 쟁기질로 판단했다는 설도 전한다.

쟁기질은 씨를 뿌리고 결실을 거두기 위한 지혜의 수단으로 곧잘 묘사된다. 옛 성현은 '믿음은 씨앗이다. 선행은 그 씨앗이 열매를 맺게 만드는 것이고, 지혜와 인내심은 쟁기이다'라고 말했다.
쟁기를 손에 쥔 자는 앞만 보고 나아가야 밭을 똑바로 갈 수 있다. 뒤를 돌아보거나 좌우로 치우치면 밭고랑이 구불구불해진다. 손에 쟁기를 잡은 사람은 목표가 분명해야 한다는 얘기다.

요가에도 '쟁기 자세'가 있다. 등을 바닥에 대고 누워 양손을 허리에 대거나 바닥에 붙인 채 두 다리를 곧게 펴서 머리 뒤로 천천히 넘긴다. 이때 자세가 쟁기 모양을 닮았다고 해서 이런 이름이 붙었다. 제자리로 두 다리를 돌려 놓을 때는 서두르지 않도록 하는 것이 중요하다. 이 자세를 자주 연습하면 복부가 압박돼 변비가 줄어든다. 또 뱃살을 자극하여 복부의 군살을 줄이는 효과도 덤으로 얻을 수 있다.

아울러 척추가 굳었다면 등에 피로가 쌓이는데, 척추의 유연성과 탄력성을 높이는 효과도 크다. 그러나 비장 기능을 억제할 수 있어 마르거나 신경이 예민한 사람은 너무 많이 하지 않도록 해야 한다.

오늘도 나는 나의 육체의 밭, 나의 영혼의 밭을 잘 갈고 있는지? 나는 내 인생에서 무엇을 경작하고 있는지? 내가 부숴야 할 딱딱한 흙덩어리는 무엇인지? 자문해 봄 직하다. 쟁기질을 통해 대지는 숨을 쉬고, 우리는 마음의 전답을 갈아 인간의 본성이 숨쉬도록 해야 한다.

23. 척추 비틀기 자세

척추·골반 불균형 바로잡아 줘

이은영

홍만종이 지은 '순오지'에 '맺은 사람이 풀어야 되고, 처음 시작한 사람이 그 끝을 책임져야 한다'는 대목이 있다. 자기가 저지른 일은 자기가 해결해야 된다는 얘기다. 굽고 틀어지고 비뚤어진 것은 스스로가 만든 삶의 흔적이다. 그 잘못된 흔적을 바로잡아야 한다.

비튼다는 것은 '연다'와 상통한다. 병뚜껑은 비틀어야 열린다. 자만심의 매듭도 비틀어야 열린다. 비틀림에서 생겨난 응어리가 풀리면 사물을 보는 관점이 달라진다. 구불거리고 흔들거리며 나아가지 않는 삶이 얼마나 있으랴. 높은 산 정상을 오를 때도 직선이 아닌 곡선 코스를 택하는 이유를 생각해 봄 직하다.

병뚜껑을 돌려 조이듯 비틀림은 현재를 더욱 단단하게 얽어매거나 또는 역으로 풀어 가는 과정이다. 사람이 동물과 달리 두 다리로 걷기 시작하면서 척추에 대한 부담도 커지기 시작했다.

똑바로 서서 걸으면서 생긴 숙명적인 현상이다.

'척추 비틀기 자세'는 앉아서 한쪽 무릎을 세우고 다른 쪽 무릎은 굽혀 뒤꿈치가 엉덩이에 닿게 한다. 굽힌 쪽 팔을 등 뒤에 돌려 놓거나 바닥에 짚고, 반대쪽 손으로 세운 다리의 발목 또는 발가락을 잡는다. 몸통을 돌려 서서히 허리를 비틀어 준다. 고개를 바깥쪽으로 돌리며 척추를 고르게 비틀어 준다는 생각으로 척추의 마디마디에 의식을 집중한다. 긴장감이 목뼈로부터 서서히 등뼈를 타고 꼬리뼈까지 이동하도록 한다. 숨을 내쉬며 배를 잡아당긴다.

이런 자세를 반복하면 척추와 골반, 근육을 바로잡아 준다. 경직된 목과 어깨도 풀어 준다. 그러나 이 자세를 취하기 위해서는 우선 자신의 몸을 낮춰야 한다. 몸을 낮춘다는 것은 어떤 의미일까?

살다 보면 좀 더 좋은 결과를 좇아갈 때가 있다. 그러나 그때마다 '사실'이 비틀리는 경우도 흔하다. 잘못된 습관은 고치기 힘들고, 이를 고치려면 훨씬 더 많은 에너지가 필요하다.

24. 나비 자세

비뚤어진 골반 바로잡는 데 도움

김규리

겨울이 끝날 무렵 할금할금거리며 맨 먼저 봄소식을 전해 주는 전령이 있다. 바로 나비다. 나비는 호랑나비, 흰나비, 모시나비, 청띠신선나비, 멧노랑나비 등 종류가 많다. 우리가 아는 것 이상이다.

나비는 알, 유충, 번데기, 성충 4단계를 거치며 완전히 탈바꿈한다. 1년 동안 한살이를 여러 차례 하는데, 나온 계절에 따라 몸 빛깔도 달라진다. 그중 여름이나 가을에 난 나비의 색이 가장 짙다.

나비는 옛날부터 서화나 시가의 소재가 됐다. 조선시대 화가 남계우의 '필화접도'나 조희룡의 '필군집'이 대표적이다. 삼국유사에는 당 태종이 보낸 모란 그림에 나비가 없는 것을 보고 그 꽃에 향기가 없다는 사실을 알았다는 선덕여왕의 재기를 다룬 이야기가 소개되고 있다.

그리운 여인을 본 남자가 그대로 지나쳐 버리지 못한다는 '꽃 본 나비 담 넘어 가랴'라는 속담도 있다. 남녀의 깊은 정을 나타낸 말로 '꽃 본 나비 불을 헤아리랴'라는 표현도 재밌다. 장자의 '호접몽(胡蝶夢)'은 더 유명하다. 푸치니의 오페라 '나비부인(마담 버터플라이)'에도 나비가 등장한다. 트로트 팬이라면 현철의 '사랑은 나비인가 봐'를 떠올릴 수 있겠다.

요가의 나비 자세는 인도의 구두 수선공이 구두를 수선할 때 앉는 모습에서 따 왔다. 앉은 모양이 꼭 나비를 닮은 까닭이다.

앉은 자세에서 무릎이 바닥에 닿도록 하고 두 발바닥을 마주 붙인다. 양손으로 양발을 잡고, 허리는 곧추세운다. 숨을 들이마시고 내쉬고를 반복하면서 팔꿈치는 바닥에, 상체는 앞으로 천천히 숙인다. 그러면 가슴과 턱이 바닥에 닿는다. 숨을 다 내쉬면 잠시 멈춰 괄약근을 꽉 죄고, 천천히 상체를 일으킨다.

나비 자세는 비뚤어진 골반을 바로잡는 데 도움을 준다. 요통, 생리통을 떨어뜨리고 신장, 전립선 계통이 개선된다. 골반 개폐력도 높아져 임산부가 따라해도 좋다. 요즘처럼 만물이 약동하는 봄날에 잘 어울리는 요가다.

25. 개구리 자세

어깨 관절·손목 유연성 키워 줘

권수연

개구리는 계절 변화와 기후를 예측하고 낮과 밤의 시간 변화를 알려주는 생물로 오랫동안 인식됐다. 청개구리, 무당개구리, 참개구리, 옴개구리, 황금개구리 등 그 종류도 많다. 벼가 한창 자랄 무렵, 참개구리의 울음소리가 크면 풍년이 든다고 했고, 청개구리가 요란스럽게 울면 소나기가 온다고 했다.

개구리는 물과 뭍을 오가는 양서류다. 피부가 항상 촉촉하고 물기를 머금고 있어 물을 따로 마실 필요가 없다. 대신 허파와 피부로 동시에 호흡하기 때문에 대기와 수질에 민감하다. 이들이 우리 곁을 떠나지 않아야 우리도 오랫동안 자연을 누릴 수 있는 것이다.독특한 형상 때문에 속담, 설화, 민요 등의 소재로 자주 활용되고 있다. 개구리의 한자는 '와(蛙)'로, 동부여의 금와왕도 관련이 있다. 신라 선덕여왕이 개구리가 모여들어 시끄럽게 울어 대는 것을 보고, 군사를 일으켜 백제군을 토멸했다는 이야기도 전한다. 양산 통도사 자장암에는 창건주 자장율사의 신통력과 함께 금개구리(금와보살) 설화가 내려오고 있다.

요가에 '개구리 자세'가 있다. 복부를 바닥에 대고 엎드린 채 양 무릎을 구부리고 양 손바닥을 두 발 위에 둔다. 그 다음 두 손목을 안쪽으로 돌려서 손가락이 발가락 방향과 같도록 앞쪽을 향한 뒤 양발을 아래쪽으로 지그시 누르면서 가슴을 바닥에서 들어 올린다. 시선은 위를 향한다. 이 모습이 개구리를 닮았다고 해서 이렇게 불린다.

이 자세는 발목을 튼튼하게 해 준다. 어깨 관절을 부드럽게 풀어주며 손목의 유연성을 증대시킨다. 허벅지의 탄력성과 복근력도 높여 준다. 그러나 자세가 쉽지 않다. 동요 '올챙이 송'이라도 틀어 놓고 자세를 취하면 조금 더 즐거울지 모르겠다.

힘찬 도약을 위해 웅크리고 숨을 고르는 개구리처럼 우리도 생의 목표를 향해 '점핑'해 보자. 물론 세상 돌아가는 것 모르고 혼자 잘난 체하는 우물 안 개구리는 혹 아닌지도 돌이켜 볼 일이다.

26. 독수리 자세

어깨 풀어 주고 좌우 균형 잡아줘

임은주

독수리는 새의 왕이다. 힘과 승리의 상징이다. 하늘과 땅을 통제하는, 용맹과 지혜의 표상으로 일찍부터 국가나 단체의 상징물로 인기가 높았다. 미국이 그런 경우다. 프로 스포츠에서도 독수리는 팀 마스코트로 즐겨 사용된다.

인도 신화에서는 독수리를 닮은 '가루다'가 신의 이동 수단으로 등장한다. 새벽과 태양을 인격화한 새로 '금시조'로도 불린다. 삼국유사에는 수로왕과 탈해와 관련해 독수리가 등장하기도 한다. 인간을 위해 불을 훔친 프로메테우스가 바위산에 묶였을 때 몸을 쫀 것도 독수리였다. 티베트에서는 '조장(鳥葬)' 혹은 '천장(天葬)'이라고 하여 인간의 사후 처리를 독수리에게 맡겼다.
추억의 TV 만화영화 '독수리 오형제'도 유명하다. 검지만으로 컴퓨터 자판을 두드릴 때 독수리가 먹이를 쪼는 모습과 비슷하다고 해서 나온 것이 '독수리 타법'이다. 1970년대를 풍미한 사이먼과 가펑클의 노래 중에는 '엘 콘도르 파사(el condor pasa)'가 있다. 콘도르가 독수리다.

요가에는 한 다리로 서서 날개를 접고 있는 독수리를 형상화한 '독수리 자세'가 있다. 발끝을 가지런히 모으고 똑바로 서서 왼발을 한 걸음 뒤로 뺀 뒤 오른쪽 무릎을 약간 구부린다. 구부린 무릎 위에 왼쪽 다리를 얹어 새끼를 꼬듯 왼발 발등을 오른쪽 발목의 뒤나 종아리에 살짝 건다. 가슴 앞에서 팔꿈치를 접어 다리와 같이 겹친 다음 독수리 부리처럼 얼굴 앞에서 손바닥을 마주 붙인다.

고정된 자세로 깊은 호흡을 하며 의식을 집중한다. 다리와 손을 바꾸며 같은 동작을 반복한다.

이 자세는 발목을 발달시키고 굳은 어깨를 풀어 준다. 골반과 몸의 좌우 균형을 잡아 주고, 허벅지와 엉덩이 선을 아름답게 만들어 준다. 균형 감각과 집중력을 높이는 효과도 있다.

독수리 자세는 손과 발을 강하게 결박했다가 풀어 줌으로써 불사조처럼 거듭나는 의미를 갖고 있다. 극한 상황에서도 꿋꿋하게 다시 일어서자는, 다짐의 자세로도 안성맞춤이다.

27. 연꽃 자세

경직된 무릎·발목 완화에 도움

노정순

가섭존자가 부처님의 참뜻을 헤아리고 미소를 지었다는 '염화시중(拈華示衆)'의 꽃이 바로 연꽃이다. 연꽃은 으레 '깨달음의 꽃' '빛의 꽃'으로 통한다. 종류도 홍련, 백련, 황련, 어리연, 가시연, 개연 등으로 많다.

연꽃은 깊고 더러운 곳일수록 더욱 크고 아름답게 핀다. 캄캄한 하늘을 이고도 대낮처럼 밝게 빛난다. 대부분 꽃은 꽃잎이 진 뒤 씨방이 여물지만 연은 꽃과 동시에 열매도 자리를 잡는다. 원인과 결과가 늘 함께하는 인과의 식물이다.

불가에서는 연꽃을 '만다라화'라고 한다. 삼라만상의 오묘한 법칙이 연꽃에 드러난다. 연꽃은 풍요, 번영, 장수, 건강 나아가 재생과 영생불사를 나타낸다. 속세의 번거로운 일에 물들지 않는 꽃이라 하여 '군자화'로도 불렸다. 연잎에 이슬이나 빗물이 앉으면 고개 숙여서 자신을 비울 줄 안다. 자신이 감당할 만한 무게만큼 싣고 있다가 그 이상이 되면 비우는 것이다. 그래서 '

비움의 꽃'이라고 한다.

요가에서 연꽃은 우리 몸 안에 7군데 에너지센터('차크라')를 상징하는 꽃으로 묘사된다. 고구려의 쌍영총, 백제 부여의 능산리 고분 벽화에도 연꽃이 그려졌다. 당나라 현종이 '해어화(解語花)'라고 하여 '말을 알아듣는 꽃'으로 양귀비를 비유한 뒤 '아름다운 여인'과 동의어가 됐다. 미인의 걸음걸이를 '연보(蓮步)'라 부르는 것도 연꽃의 고귀한 자태 때문이다.

연꽃 자세는 명상이나 기도를 위해 안성맞춤이다. 한쪽 다리를 구부려 반대쪽 허벅지 위에 발바닥이 위로 향하게 올리고, 다른 쪽 다리도 마찬가지로 발바닥을 위로 향하게 하여 허벅지 위에 올린다. 양손은 무릎 위에 올리고 지혜를 상징하는 손동작을 취한다. 턱은 바르게 하고, 몸이 한쪽으로 기울지 않도록 척추를 똑바로 세워 두 어깨의 긴장을 풀고 눈을 감는다.

이 자세는 집중력을 강화시켜 깊은 내면의 세계에 빠져들게 한다. 무릎과 발목의 경직 상태를 완화하는 데도 도움을 준다. 단, 골반이나 무릎이 좋지 않다면 무리하지 않는 게 낫다.

28. 개 자세

뒤꿈치 통증·어깨 관절 푸는 데 효과

김영희

개는 선사시대부터 길들인 가축이다. 고구려 각저총에도 개 그림이 등장한다. 맹인 안내나 마약 탐지, 인명 구조 등에서 탁월한 능력을 발휘하는데, 이는 개의 특별한 청·후각 덕분이다. 여기다 충성심도 강해 인간의 사랑을 듬뿍 받는다.

애완동물을 기르면 스트레스에 대한 저항성이 높아진다는 학설도 최근 나왔다. 애완동물에서 반려 동물로, 개를 대하는 사람들의 마음가짐이 바뀌고 있다. 사람이 차지해야 할 '반려'라는 위치에 어느새 개가 들어와 있는 셈이다.

민담에서 가장 많이 등장하는 동물도 아마 개가 아닌가 싶다. 특히 주인을 살린 개 이야기는 전국 곳곳의 민담에서 흔하게 전해지고 있다. 임실군 둔남면 오수리에는 자신의 몸에 물을 묻혀 불 속의 주인을 구한 개를 기리는 의견비(義犬碑)가 있다. 지난해 말 미국 뉴욕 지하철에서 시각 장애인의 안내견이 선로에 떨어진 주인을 구한 일도 있었다.

'개만도 못한 사람'이라고 꾸짖는데, 그 말 속에는 역설적으로 개의 '인격성'이 포함돼 있다. 개는 인간의 눈에 시선을 고정시킨 후 의식 깊숙한 곳을 들여다볼 줄 아는 유일한 동물이다.

요가에서는 얼굴을 아래로 향한 뒤 기지개를 켜는 듯한 개의 모습을 닮은 '개 자세'가 있다. 두 팔을 바닥에 짚고 엎드린 뒤 얼굴도 아래로 향하게 한다. 몸통과 엉덩이는 산처럼 들어 올리고, 특히 꼬리뼈가 가장 높은 위치에 이르도록 한다. 이때 뒤꿈치는 바닥에 닿고 무릎은 곧게 편다. 정수리가 바닥에 닿아도 상관없다.

곧 무더운 여름이 올 것이다. 그러면 개가 늘어지듯 기지개를 켜면서 이 자세를 취할지 모르겠다. 사람도 마찬가지다. 지쳤다고 생각될 때 이 자세로 심신에 활력을 줘 보자. 어느새 피로가 줄어들고 두뇌에 에너지가 유입돼 기억력과 집중력이 회복된다.

뒤꿈치 통증을 해소하고 어깨 관절을 부드럽게 하는 데도 큰 도움을 주는 것으로 알려졌다.

29. 반달 자세

균형 감각·집중력 향상에 도움

장정원

지구의 위성인 달은 태양계 위성 중 5번째로 크다. 동양에서는 '음양'의 한 축을 형성할 정도로 중시했다. 문학과 예술에도 영향을 많이 주었다. 달은 지구를 돈다. 만유인력 때문이란다. 인류가 직접 탐험한, 유일한 지구 밖 천체가 달인데, 1969년 유인 우주선 '아폴로 11호'의 달 착륙을 통해서다.

밤을 밝힌, 가장 밝은 빛이며, 차고 기우는 주기도 가졌다. 햇빛이 비치거나 지구에서 바라보는 각도와 위치에 따라 달의 모양도 달라진다. 태양이 달 뒷면을 비추면 '삭(朔)'이 되고, 이 삭을 지나면 초승달, 상현달, 보름달, 하현달, 그믐달 순서로 달이 차고 이지러진다. 태양, 달, 지구가 나란히 일직선상에 놓이면 달 그림자가 해를 가려 일식이 되고, 태양과 지구, 달 순서가 되면 월식이 된다.

달은 생활 전반에 영향을 준다. 달의 인력이 바닷물의 만조와 간조에 영향을 미치는 것이다. 심지어 인체도 달의 상태에 따라 큰 영향을 받는데, 여자의 생리를 '월경(月經)'이라고 부르는 이유도 여기에 있다. '월인천강(月印千江)'이란 말도 있다. 달은 하나이지만 달이 뜨면 달빛은 만천(萬川)과 만강(萬江)에 두루 비친다는 뜻이다. 이는 또 '하나가 곧 일체의 전부이고, 일체의 전부가 곧 하나'를 의미하는데, 요가 동작 하나가 몸 전체에 미치는 영향을 설명할 때 종종 비유된다.

요가의 반달 자세는 다리를 넓게 벌리고 선 상태에서 몸통을 구부리는 것으로 시작한다. 왼쪽 손바닥이 바닥에 닿아야 하고, 왼쪽 다리를 들어 올려 바닥과 평행을 유지하면서 팔과 다리는 앞으로 쭉 뻗는다. 오른손은 위로 들어 올리고 시선은 오른손 끝에 둔다. 몸통은 정면을 향한다.

이 자세를 취하면서 반달 모양을 그린다. 이때 다리 근육이 발달하고 무릎이 강화된다. 균형 감각과 집중력이 좋아지고 등의 근육도 튼튼해진다. 음양요가(하타요가)의 한 동작인 반달 자세를 취하면서 달 에너지를 듬뿍 받아 피로에 지친 심신을 추슬러 볼 일이다.

30. 비둘기 자세

유연성 향상·군살 제거에 도움

권수연

비둘기는 기원전부터 관상용, 수렵용, 식용으로 이용되었다. 방향 감각이 좋고 귀소 본능이 강하며 장거리 비행 능력이 뛰어나서, 통신용 비둘기인 전서구(傳書鳩)로도 오랫동안 활용됐다. 멧비둘기, 양비둘기, 흑비둘기, 염주비둘기. 녹색비둘기 등 그 종류도 다양하다. 그중 흑비둘기는 울릉도와 남해 도서에서 드물게 볼 수 있는 종으로 천연기념물로 지정되어 있다.

올리브 가지를 문 비둘기는 평화의 상징이다. 특히 흰 비둘기는 성인의 혼에 비유되어 더욱 귀하게 여겨졌다. 왕성한 번식력이나 생명력에서 풍요의 상징으로도 인식되었다. 성질이 온순하고 부부 금실이 좋아 다정한 연인이나 부부 모습으로 비유되기도 한다. 그래서 "비둘기처럼 다정한 사람들이라면…"이라는 노랫말도 있다.
비둘기는 설화에도 많이 등장한다. 비둘기들이 차례대로 몸을 부딪쳐 절의 종을 쳐 자신들을 보살펴 준 은인을 여우로부터 구했다는 이야기가 충북 보은의 의구비(義鳩碑)로 전해진다. 한

나라 고조가 항우에게 패하여 숲 속에 숨었을 때 비둘기가 숲에서 울고 있어서 추적하던 군사들이 의심하지 않고 지나갔는데, 임금이 된 뒤 지팡이에 비둘기를 새겨 노인들에게 주었다고 하는 '구장(鳩杖)' 이야기도 흥미롭다. 여럿이 머리를 맞대고 논의하는 모습이 마치 비둘기들이 서로 머리를 맞대고 먹이를 쪼아 먹는 모양을 닮았다고 하여 '구수회의(鳩首會議)'란 말도 생겼다.

비둘기 자세는 오른쪽 다리를 앞으로 구부리고 왼쪽 다리를 뒤로 뻗는다. 왼손으로 왼쪽 다리를 잡고 굽히면서 오른 손은 어깨 뒤로 넘겨 양손을 서로 맞잡아 당기며 가슴을 최대한 앞으로 확장시킨다. 시선은 팔꿈치 쪽을 향한다. 골반의 유연성을 향상시켜 주고 옆구리를 강하게 자극하여 옆구리 군살 제거에 효과적이다. 어깨 결림을 풀어주고 허벅지 앞쪽 근육을 이완시켜 다리의 피로를 풀어준다. 이 동작 후에 취하는 휴식은 비둘기의 상징처럼 몸과 마음의 평화를 가져다 줄 것이다.

31. 호랑이 자세

좌골 신경통·골반 치유에 도움

임은주

호랑이는 잘 발달되고 균형 잡힌 몸을 가졌다. 예부터 백수의 왕으로 불렸고 민화나 민담에서도 단골 소재로 활용됐다. 서울 올림픽 때는 마스코트인 '호돌이'로도 인기를 끌었다. 은혜를 갚을 줄 아는 예의 바른 동물이자, 골탕을 먹일 수 있는 어리석은 동물로도 묘사됐다.우리 조상은 이렇듯 호랑이를 좋아하면서도 싫어하고, 무서워하다가도 친근한 존재로 받아들였다. 중국의 용, 인도의 코끼리, 이집트의 사자처럼 우리에게 제일 먼저 떠오르는 동물이기도 하다.

예술적 성격을 띤 호랑이 그림으로 가장 오래된 것은 울주 반구대 암각화로 추정된다. 선사시대부터 우리는 호랑이와 관계를 맺은 것이다. 고구려 고분인 우현리 중묘에도 '백호도'가 있다. 최남선은 우리나라 근대 잡지의 효시가 된 '소년' 창간호에서 우리나라 지형을 맹호가 발을 들고 동아시아 대륙을 호령하는 모양으로 그렸다.

호랑이 자세는 무릎을 꿇은 채 양손으로 바닥을 짚고 머리를 아래로 숙인다. 등을 둥근 아치 모양으로 올리고 발은 바닥에 닿지 않도록 한 뒤 무릎을 구부려 가슴에 닿게 한다. 숨을 내쉬면서 잠시 눈을 무릎에 고정시킨다. 그 다음 기지개를 켜듯 가슴을 앞으로 내밀며 머리를 들어 뒤로 젖힌다. 발은 서서히 뒤로 뻗는다. 발가락이 후두부에 닿는 느낌이 들도록 무릎을 약간 뒤로 구부린다. 교대로 수차례 반복한다.

척추를 구부리고 펴는 과정에서 등 근육을 고르게 하고 좌골신경통을 비롯한 골반과 고관절 이상을 개선해 준다. 복근의 강화로 복압이 높아져 소화와 혈액 순환을 도와주며 엉덩이의 탄력성을 키워 준다. 긴장을 풀어 부드럽게 하되 잠에서 깨어난 호랑이가 기지개를 켜는 장면을 연상하는 것이 중요하다.

'호랑이의 눈(Eye of the Tiger)'은 실베스터 스탤론 주연의 영화 '록키3'에 나오는 주제곡이다. 끝까지 포기하지 않는 의지의 노랫말이 좋다. 이를 배경음악 삼아 호랑이 자세를 취해 보자.

32. 그네 자세

손 근육 ·팔다리 탄력성 강화

김영희

"한 번 구르니 나무 끝에 아련하고/두 번을 거듭 차니 사바가 발 아래라/마음의 일만근심을 바람이 실어가네." 김말봉 작사, 금수현 작곡의 가곡 '그네'에 나오는 대목이다.

그네는 우리나라에서 일찍부터 여성 놀이로 인기를 끌었다. 특히 양의 기운이 가장 강한 단옷날(음력 5월 5일)에 그네를 많이 탔다. 정월대보름이 달의 축제라면 단오는 태양의 축제였던 것이다. 소설 '춘향전'에서는 이몽룡과 성춘향이 만나는 지점을 그네로 설정하기도 했다.

역사적 기록은 고려시대부터 나타난다. 고려 현종 때 중국 사신 곽원이 "고려에서는 단오에 추천놀이를 한다"고 적었다. 조선시대 혜원 신윤복의 '단오풍정'에도 단옷날 그네를 즐기는 여인들이 등장한다.

그네는 줄을 붙잡고 발을 힘차게 굴러서 전진 후퇴를 거듭하는 과정에서 점점 하늘 높이 오르는 놀이인데, 우리나라뿐 아니라 세계 각지에서 유행했다. 중국은 태양의 회생을 촉진하는 한식절에, 인도는 제례의식의 하나로 그네를 활용했다. 그네 자체가 태양 또는 바람과 동일시되며, 풍요와 다산, 천지 매개의 종교적 의미를 지녔다.

그네는 '앉아서 뛰기'와 '서서 뛰기', '외그네 타기'와 '쌍그네 타기'로 나뉜다. 그중 쌍그네 타기는 두 사람이 마주 보고 서서 그네를 부여잡는 경우와 한 사람은 앉고 다른 사람은 서는 자세가 있다. 그네는 뛰는 과정에서 몸 전체를 움직이기 때문에 신체의 고른 발달을 꾀할 수 있다. 특히 높은 곳으로 비상할 때 지상에서 느끼지 못한 쾌감도 얻는다.

그네 자세는 양발을 연꽃자세로 올려놓고 양손은 엉덩이 옆에 두는 것으로 시작한다. 시선은 앞을 향하며 손과 손목 힘으로 온몸을 들어 올린다. 이때 앞뒤로 그네를 타듯 몸통을 흔든다고 하여 '그네 자세'로 불린다. 손목과 손 근육, 복부기관을 강화시키고 팔다리의 탄력성을 높여 준다. 또 균형감각과 집중력 향상에도 도움이 된다.

33. 배 자세

복부 팽만·위장 장애 해소에 효과

이은영

문명사는 물과 관련이 깊다. 문명의 4대 발상지가 나일 강, 티그리스-유프라테스 강, 인더스 강, 황허 강이라는 사실에서도 잘 알 수 있다. 배도 이들 강을 이용하고 극복하는 과정에서 탄생했다.

세계 최초의 배는 이집트 나일 강 하구에서 자라는 파피루스로 엮은 '갈대배'라고 한다. 구약성서 '노아의 방주'에도 배가 등장한다. 울주 반구대 암각화에는 고래를 잡는 배 그림이 있다. 함경북도 서포항 조개무지에서는 고래뼈로 만든 신석기 시대의 노도 나왔다.한반도에서도 일찍부터 배가 사용됐다는 증거다.

삼한 때 수로를 통해 중국이나 일본과 왕래했고, 삼국시대에는 고구려와 백제, 신라가 각각 중국과 해로를 통해 교역했다. 또 삼국을 통일한 신라 때 장보고는 청해진(지금의 완도)을 설치한 뒤 자신의 위세를 사방에 떨쳤다. 고려는 물론이고 조선도 개국 초부터 500년간 상비 수군을 유지했고, 이순신 장군은 판옥

75

선과 거북선으로 국난을 타개하기도 했다.

지금의 배는 더 다양하다. 규모 면에서 한 사람이 겨우 탈 수 있는 '딩기'라는 요트부터 수백 명이 승선하는 크루즈선, 그리고 수십 대의 비행기를 탑재할 수 있는 항공모함도 있다.

요가에서도 배 자세라는 것이 있다. 먼저 양손을 바닥에 짚고 다리를 곧게 펴서 앉는다. 몸통은 약간 뒤로 기울이고 발끝은 머리 위로 올라갈 정도로 높이 들어 다리가 하늘을 향하게 한다. 양손은 양다리 옆에 나란히 놓고 엉덩이로 균형을 잡는다. 이 자세가 노 있는 배를 닮았다.

가스 때문에 복부 팽만감을 느끼거나 위장 장애가 있는 사람에게 좋다. 허리와 복부도 강하게 만들어 건강한 삶을 유지시켜 준다.

험한 풍랑 속에서도 중심을 잃지 않고 원래의 모습으로 쉽게 돌아오는, 복원력이 뛰어난 배가 필요한 세상이다. 세월호도 복원력이 좋았다면 침몰되지 않았을 것이다. 배 자세를 꾸준히 연습해 늘 즐거운 삶의 복원이 가능하도록 하자.

34. 공작 자세

오장육부 자극, 장 속의 독소 제거

최진태

공작이 세상에서 가장 멋진 새로 주목받는 이유는 무지갯빛 꼬리털 때문이다. 공작은 예로부터 귀한 새로 화려함과 부귀의 상징이었다. 시력과 청력도 좋아 큰 목소리로 동료들에게 위험을 알리기도 한다.

이런 이유로 공작은 천사의 깃털과 악마의 목청, 도둑의 걸음걸이를 가진 동물이라는 말도 듣는다.

공작은 서식지에 따라 크게 말레이공작, 인도공작, 콩고공작 등으로 나눈다.

그중 인도공작은 인도의 '나라 새'다. 과거 인도에서는 뱀에 물려 독사한 사람이 많았는데, 그 때문에 뱀의 천적인 공작을 신성시하는 문화가 생겼다고 한다.

그리스에서도 공작의 꼬리 날개를 펼친 모양이 하늘에 떠 있는 별과 같다고 해서 성조로 취급했다. 또 공작의 살은 좀처럼 썩지 않는데, 여기서 유래한 것이 '불사조(피닉스)'다.

고려 때 송나라 수입품 중에 공작이 있었고, 그보다 앞서 신라에서도 이를 길렀다는 기록이 있다. 우리나라의 공작 사육 역사가 꽤 오래됐다는 얘기다.

미국 종교학자인 조셉 캠벨은 "공작 깃털에 박힌 눈은 인간에게 혜안과 통찰을 열어 준 이마 한가운데 있는 '제3의 눈'과 같다고 힌두교에서는 여겼다"고 말했다.

공작 자세는 양팔을 구부려서 복부 중앙에 닿도록 하고, 고개를 숙인 채 양 팔꿈치로 몸통을 받치는 느낌에서 두 다리를 뒤로 뻗으며 서서히 들어 올린다. 몸 전체가 바닥과 평행이 되도록 유지한다. 숙달되면 다리를 교차시켜서 할 수도 있다.

소화력이 증대되고 오장육부를 자극하여 공작이 전갈 등 독충을 죽이는 것처럼 장 속의 독소를 몰아낸다.

손목, 팔뚝, 팔꿈치를 단련시키고 집중력과 균형감각 증진에도 효과적이다. 인도에서 열차 여행 중 식중독으로 복통을 앓던 하타요가의 고수가 이 자세를 통해서 위기를 넘겼다는 얘기도 전해진다. 고혈압이나 심장에 이상이 있는 사람과 임산부는 하지 않는 게 좋다.

화려한 깃털에 대한 자신감과 얄팍한 우월감으로 오만하게 행동하고 있지 않은지를 돌이켜 보게 하는 자세이다.

35. 앞뒤로 다리 뻗기

하체 탄력 있게 해주고 울혈 풀어줘

권수연

인도인의 도덕과 종교적 행동을 규정하는 지침서 중에 '라마야나'라는 것이 있다. 이는 기원전 2세기에 발표됐는데, '마하바라타'와 더불어 세계에서 가장 긴 서사시로 알려졌다.

내용은 고대 인도의 코살라 국 왕자인 라마의 파란만장한 무용담에 초점을 두었으나 그 외에도 다양한 캐릭터의 인물들이 많이 등장한다. 그 중에는 하누만이라는 원숭이 형상의 충복도 있다. 하누만은 라마를 도와 적에게 납치된 왕비를 구하는 공을 세운다. 이때 그는 초인적인 뜀박질로 한걸음에 바다를 건너고 장애물을 뛰어넘는 능력을 발휘했다고 한다.

하누만은 히말라야에서 약초를 가져와 한 생명을 구한 의술가로 묘사되고 있다. "낮에도 좋아, 밤에도 좋아, 언제든지 달려갈게", "당신이 나를 불러준다면 무조건 달려갈거야"라는 가사도 하누만의 행동에서 나왔다는 요가인들의 우스갯소리도 있다.

그는 나중에 중국 소설 '서유기'에서 삼장법사를 돕는 손오공이
라는 인물로도 변신했다. 인도의 하누만과 중국의 손오공이 사
실은 같은 인물이라는 얘기다. 이처럼 불교에서 원숭이가 종종
거론되는데, 원숭이가 여래의 사발로 석존에게 꿀을 바쳤다는
이야기도 전하고 있다.

하누만의 상상을 초월하는, 넓은 보폭을 따라하며 생긴 요가
동작이 바로 '하누만 아사나'다. 양손을 가슴에 모은 상태에서
허벅지가 바닥에 닿을 정도로 양다리를 앞뒤로 최대한 길게 뻗
는 동작이다. 하체의 긴장을 풀어주고 울혈을 해소시키는 것으
로 알려졌다. 다리와 엉덩이 선도 탄력 있고 아름답게 해준다.
임산부라면 골반 개폐력에 도움을 얻을 수 있다. 그러나 고관
절의 탈구, 좌골신경통, 척추이상 등의 증세가 있다면 주의가
요구된다.

오늘도 앞뒤로 다리가 쫙 펴진, 그림 같은 자세를 갈망하는 수
많은 이들에게 극단의 고통 속에서 용기를 내어보라고 말하고
싶다.

36. 파스치모타나사나

등 근육·척추·인대 탄력 키워 줘

김영희

예로부터 인도에서는 동이 틀 때 태양을 향해 예배를 드리는 습관이 전해지고 있다. 고대 인도인들은 태양을 향한 방향인 몸통 앞쪽을 동쪽이라 하고, 그 반대인 몸통 뒷면의 등쪽을 서쪽이라고 여겼다.

여기서 유래한 것이 '파스치모타나사나'다. '파스치마'는 '서쪽'을, '우타나'는 '세게 늘린다'를 뜻한다. 즉, 두 다리를 펴고 앉아서 양손의 엄지와 검지, 중지 세 손가락으로 엄지발가락을 잡아당기고 서서히 몸통을 앞으로 구부려 이마가 종아리에 닿도록 하는 자세다. 이렇게 하면 서쪽인 등 부위가 크게 늘어나는 것이다.

이때 숨을 마시고 멈춘 상태에서 괄약근의 수축 운동을 반복한다. 많이 구부리기보다는 발가락을 머리 쪽으로 당겨서 종아리를 펴는 게 중요하다. 이 자세는 등의 근육, 척추, 인대에 탄력을 주며 온몸에 활기를 불어 넣는다.

몸이 유연해지고 내장기관이 활성화돼 복부 군살을 제거하는 데 도움을 준다. 또 기를 강하게 끌어올려 아랫배에 어혈이 있는 냉증 등 부인과 질환과 노화를 방지하는 데 유용한 것으로 알려졌다.

몸의 움직임을 제한하는 이 자세는 몸통을 구부릴 때 오는 긴장감, 끊어질 듯한 통증을 통해 자신의 한계에 대한 인식과 체념의 자세를 배울 수 있다. 자신을 낮춰야 높아지고, 남을 낮추면 자신이 가장 낮아지는 공동체의 특성을 깨닫는 것이다.

조선시대 청백리로 정승을 지낸 고불 맹사성의 '겸양지덕(謙讓之德)'을, 전쟁에서 승리의 공적을 부하들에게 돌린 이순신 장군의 '겸양의 리더십'을 떠올리게 한다. 주역에서도 '군자는 겸양에서 인격의 꽃을 피운다. 겸양은 군자의 마지막 공부이며 수행의 마지막 단계'라고 했다. '벼는 익을수록 고개를 숙이고 산은 높이 올라갈수록 풀이 낮게 깔린다'는 격언을 되새길 때다.

최근 잇따른 선거나 장관 후보자 청문회를 보고 있으면 제대로 수행하지 않는 위인들이 자신의 공로를 남에게 돌리기는커녕 남의 공로조차 자신의 것으로 만든 사실이 뒤늦게 폭로되고 있기에 하는 소리다.

37. 반딧불이 자세

복부근육 강화·균형감 키워 줘

정복희

"아무리 우겨봐도 어쩔 수 없네/저기 저 개똥무덤이 내 집인
걸~."

신형원의 노래 '개똥벌레' 가사가 절로 흥얼거려지는 한여름이
다. 반딧불이를 개똥벌레라고 부르는 것은 예전에 개똥참외처
럼 흔했기 때문이다. 영어로는 '파이어플라이(firefly)', 범어로
는 '티티바'라고 한다.

까만 밤하늘에 꺼질 듯 말 듯 성탄절 트리처럼 반짝이는 반딧
불빛을 바라보면 가슴이 벅차 오르면서 마음 한쪽이 따뜻해진
다. 갈 길 몰라 방황하던 배가 항해의 길잡이 등대 불빛을 본
것처럼 팍팍한 세상사에 희망의 불꽃이 되어 준다. 이렇듯 반
딧불이는 사람들의 마음을 순화해 주기 때문에 '정서 곤충'으로
도 불린다.
또 환경생태학자들은 이를 '환경지표 곤충'으로도 분류한다. 다
른 곤충과 달리 수질오염에 유난히 민감하기 때문이다. 그래서
반딧불이는 청정지역의 지표가 된다.

반딧불이는 배 끝의 마디에서 불빛을 낸다. 사랑하는 짝을 찾아 하늘로 날아오르며 불빛을 반짝일 때는 그 모습이 숭고하기까지 하다. 매미처럼 울 수도, 나방처럼 페로몬을 뿌릴 수도 없기에 소통을 시도하려는 그 불빛은 더욱 애처롭다.

우리나라엔 애반딧불이, 늦반딧불이, 파파리반딧불이 등이 산다. 이들은 정서적, 심미적 가치를 인정 받아 장수하늘소, 비단벌레, 산굴뚝나비와 더불어 천연기념물로 지정돼 있다.

반딧불이 자세는 쪼그리고 앉은 채 두 팔을 다리 사이에 넣고 무릎 뒤 오금을 팔 위쪽에 올리고 두 발을 부드럽게 바닥에서 들어 올린다. 시선은 앞을 향하고 양쪽 무릎을 펴는 자세이다. 폐와 복부 근육이 강하게 수축되어 복부기관이 강화된다. 손목, 팔, 어깨, 배 등을 튼튼하게 해 주며 집중력과 균형감을 증진시켜 준다.

어릴 때 어렵지 않게 보았던 반딧불이가 요즘은 무척 귀한 존재가 됐다. 성충이 되어 날아다닐 때에는 이슬만 먹고 산다고 해서 '신선곤충'으로도 여겼는데, 참 안타깝다. 반딧불이들이 마음껏 사랑의 향연을 펼칠 수 있도록 생태환경 조성에 힘을 모아야겠다. 요가는 예로부터 숲 속의 수행처를 '아란야카'라고 하여 청정한 곳에서 수행하는 전통이 있었다.

38. 고양이 자세

목·어깨·척추 유연성 높여

윤주원

고양이 하면 "검은 고양이 네로 네로 네로/귀여운 나의 친구는 검은 고양이"라는 노래가 생각난다. 말썽쟁이 고양이 톰과 영리한 쥐 제리를 주인공으로 한 애니메이션 영화 '톰과 제리'도 친숙하다. 에드거 앨런 포의 단편소설 '검은고양이', 이장희 시인의 '봄은 고양이로다'란 시도 있다. 미국 극작가 테네시 윌리엄스가 두 번째로 퓰리처상을 받은 '뜨거운 양철지붕 위의 고양이'도 고양이와 관련된다.

조선시대 고양이 그림의 대가인 변상벽의 '묘작도'는 고양이와 참새를 그린 수작이다. 고양이와 관련된 속담은 유난히 많다. '고양이 목에 방울 달기' '고양이 앞에 쥐' '고양이 쥐 생각한다' '얌전한 고양이 부뚜막에 먼저 올라간다' '고양이 개 보듯 한다' '궁한 쥐가 고양이를 무는 격' 등이 있다.
고양이는 영악하고 독립심이 강하다. 또 장난을 좋아하고 놀기를 잘한다. 고양이는 오랫동안 애완동물로 사랑 받았다. 고대 이집트 벽화에는 고양이를 새 사냥에 이용한 그림이 있다. 태국과 베트남에서는 토끼 대신 고양이를 십이지 중의 하나로 포함하고 있다. 비단 무역이 중시된 중국과 일본에서는 누에고치를 공격하는 쥐를 퇴치하기 위해 고양이를 키웠는데, 이후 고양이를 '오곡을 풍성하게 하는 동물'로 귀하게 여겼다.

고양이는 신체언어에 달통했다고 할 정도로 귀와 꼬리의 위치, 몸의 이완 정도, 발 동작, 코 터치, 수염, 목소리 등 신체의 모든 부분을 동원해 자신의 감정 상태를 나타낼 줄 아는 동물이다.

요가에서는 그런 모습을 본뜬 고양이 자세가 있다. 먼저 엎드린 상태에서 양팔과 양 무릎을 각각 어깨너비만큼 벌린 뒤 가슴 가득히 숨을 들이쉬면서 머리를 뒤로 젖히고 허리를 움푹하게 바닥 쪽으로 내린다. 반대로 머리를 숙이는 동시에 복부를 등쪽으로 당기고 허리를 위쪽으로 둥글게 끌어올리기를 몇 차례 반복한다. 목과 어깨, 특히 척추의 유연성과 탄력성을 높이고 소화력도 증진시킨다. 가슴을 최대한 확장시켜 폐활량을 높이는 효과도 있다.

39. 까마귀 자세

팔·복부기관 강화… 집중력 향상

임은주

까마귀는 검다. 이 때문에 죽음이나 질병을 암시하는 새로 종종 지칭된다. 하지만 신령스러운 능력을 지닌 새라는 이미지도 갖고 있다.

특히 고구려에서는 다리가 3개인 가상의 까마귀를 '삼족오(三足烏)'라고 하여 태양을 상징하는 귀한 새로 여겼다. 전통 음식의 하나인 '약식'의 유래도 임금을 암살 위기에서 구한 까마귀 설화에 뿌리를 두고 있다.

칠월칠석에 오작교를 만들어 견우와 직녀가 서로 만나게 한 것도 까마귀와 까치였다. 포항 남구 호미곶에 설치된 조각상 '연오랑 세오녀'에는 '오(烏)'가 두 차례 들어 있는데, 이것도 까마귀를 뜻한다.

까마귀는 자식이 부모를 먹여 살리는 유일한 새다. '반포지효(反哺之孝)' '반포보은(反哺報恩)'에서 '반포'가 까마귀를 지칭한다. 이런 새가 때때로 "까마귀 노는 곳에 백로야 가지 마라"로 비하된 것은 왜 일까? 검은색을 천시하고 청렴과 결백을 상징하는 흰색을 숭상한 시절 때문이라는 설이 있다.

또 '까마귀 고기를 먹었나'라며 까마귀를 건망증과 문맹의 상징으로 비유하지만 이 역시 사실과 다르다. 까마귀의 지능은 꽤 높은 편이다.

철사를 구부려 병 속의 음식을 꺼내 먹고, 지퍼를 열 수 있으며, 호두를 떨어뜨려 깨어 먹기도 한다.

근래 울산 태화강 대숲에 까마귀 떼가 무리를 지어 날아와 겨울을 보낸다고 하는데, 이는 생태계가 살아나고 있다는 것을 의미하는 반가운 소식이 아닐까?

까마귀 자세는 쪼그리고 앉은 자세에서 발꿈치를 들어 발끝으로 중심을 잡고, 두 팔을 두 다리 안쪽에 짚고 상체를 앞쪽으로 중심 이동시키면서 정강이를 겨드랑이 근처 팔 윗부분에 댄 채 바닥에서 전신을 들어 올린다.

팔과 복부기관을 강화시키며 집중력과 균형 유지력이 향상된다. 깜빡거리는 기억력도 함께 좋아졌으면 하는 바람도 곁들여 취해 보면 좋은 자세이다.

40. 악어 자세

손·발목 힘 키워주고 무력감 해소

정복희

악어라고 하면 제일 먼저 무엇이 떠오를까? 아마 고가품으로 인식되고 있는 악어 핸드백, 악어 구두, 악어 벨트 등이 아닐까.

악어는 담수성 동물이다. 민물에 산다는 얘기다. 그러나 인도 악어는 바다에서도 서식하고 있다. 악어는 뭍에서 급할 때 몸을 높게 일으켜 미끄러지듯 달린다. 물속에서는 네 다리를 몸에 바싹 붙이고 꼬리를 좌우로 흔들면서 전진한다.

신문기사에서 '일본, 악어의 눈물로 면죄부 넘볼 수 없다'라는 식의 문장을 발견한 적이 있는데, 여기서 언급한 '악어의 눈물'은 나일강 악어에서 유래했다고 알려졌다.이집트 나일 강에 사는 악어가 사람을 잡아먹은 뒤 꼭 그를 위해 눈물을 흘렸다고 전한다. 지금은 사람들의 거짓 눈물을 빗대어 쓰는 말로, 위선자나 교활한 위정자의 거짓 눈물을 뜻하기도 한다.
그러나 악어는 슬퍼서 눈물을 흘리는 것이 아니라고 한다. 사실은 눈물샘의 신경과 입을 움직이는 신경이 같아서 먹이를 삼키기 좋은 수분을 보충하기 위해 어쩔 수 없이 하는 행동이라는 것이 과학자들의 주장이다. 자연계에서 공생을 의미할 때 대표적인 사례로 악어와 악어새를 떠올리기도 한다.

영화 '피에타'로 베니스영화제 최고상인 '황금사자상'을 수상한 김기덕 감독의 데뷔작 제목이 '악어'(1996)다. 애니메이션 영화인 '피터 팬'에서는 후크 선장의 팔을 물어 피터 팬을 구하는 캐릭터로 악어가 등장한다.

인도인이 가장 신성하게 생각하는 강이 갠지스인데, 이 강의 여신이 '강가'로 알려졌다. 강가는 하얀 얼굴에 왕관을 쓰고 악어 위에 올라앉은 형상으로 묘사된다.

요가에서 악어 자세는 악어가 먹이를 향해 살금살금 접근해 덮치는 모양을 닮았다. 얼굴을 아래로 향하고 양손바닥을 악어처럼 가슴 옆에 둔다. 손바닥 힘으로 몸통을 바닥에서 팅겨 오르게 한 뒤 다시 평형 상태로 돌아온다. 이때 손과 발을 바닥에서 동시에 떼야 하며, 온몸이 공중으로 튀어오른 뒤에는 앞뒤나 전후로 이동해야 한다.

손목과 발목을 강화시키고 몸의 무력감을 해소시켜 주며 활력을 되찾게 해 준다. 두뇌를 맑게 하는 효과도 있다. 그러나 손목에 부담이 많이 가 신중해야 한다.

41. 다리 자세

목·어깨·다리 풀어주고 척추 강화

장정원

지난 14~18일 프란치스코 교황이 우리나라를 방문했다. 그의 소박하면서도 거룩한 언행이 많은 국민들을 감동시켰다. 온갖 사고와 정치적 사건으로 점철된 정국 속에서 그의 방문은 말 그대로 행복과 희망을 안겨 주었다.

우리는 그를 교황이라고 부른다. 하지만 교황의 정식 명칭은 '최고의 주교(Pontifex maximus)'다. 여기서 폰티펙스 (Pontifex)는 라틴어로, '다리를 놓는 사람'을 뜻한다. 교황은 하느님과 신도를 잇는 최고의 연결자, 또는 대리인이라는 얘기다. 그는 우리나라 방문 소감을 매일 트위터로 알렸는데, 트위터 계정 이름도 폰티펙스다.

다리는 국립국어원 표준국어대사전에서 모두 7가지로 풀이되고 있다. 그중 가장 흔한 것이 '사람이나 동물의 몸통 아래 붙어 있는 신체의 부분'과 '물체의 아래쪽에 붙어서 그 물체를 받치는 부분', 그리고 '물을 건너는데 필요한 시설물'이다. 지칭하는 부분은 다르지만 어떤 경우라도 다리는 튼튼하고 안전한 것이 가장 중요함을 알 수 있다. 그런데 간혹 그렇지 못한 경우가 생겨 사회적 문제가 된다. 1994년 상판이 무너져 32명의 목숨을 앗아간 성수대교도 그중의 하나였다.

다리와 사람의 관계는 특별하다. 역사나 영화, 문학작품 등에서도 다리는 중요한 소재로 등장했다. 부산 중구와 영도구를 연결하는 '영도대교'는 1934년 준공돼 일제강점기와 6·25전쟁을 겪으면서 이산과 실향의 증인이 됐고, 아카데미상 7개 부문을 석권한 윌리엄 홀덴 주연의 영화 '콰이강의 다리'(1958)는 전쟁 속에서도 아름답게 피어난 인간 승리의 상징이 됐다.

요가에서 다리 자세는 목과 어깨를 지탱하며 골반과 다리를 하늘 위로 높게 들어주는 동작이다. 몸의 중심을 최대한 밀어 올려 가슴과 골반을 연다. 목, 어깨의 긴장과 다리의 피로감을 풀고 척추를 강화시킨다. 또 엉덩이를 탄력 있게 만들어 준다.

섬과 섬, 하늘과 땅, 무표정한 사물과 사물, 서먹했던 너와 나 사이에 정성껏 다리를 놓는다는 마음으로 자세를 취한 후 자신의 호흡을 살피며 내면의 다리를 바라보자. 다리는 연결이고 소통이다. 팍팍한 일상일수록 다리는 더욱 긴요하다. 그리고 누구든지 서로의 다리가 될 수 있다. 어느 누군가의 다리가 될 수 있다면 그게 곧 삶의 행복일 테다.

42. 왜 영웅이 필요한가

비라바드라, 전사의 힘찬 모습

허수정

'비라(Vira)'는 영웅적 자질이나 힘을, '바드라(bhadra)'는 길
조, 상서로움을 뜻한다. 이 둘이 합쳐져 영웅 혹은 전사를 뜻하
는 '비라바드라'가 됐다. 요가의 '비라바드라 자세'도 위대한 영
웅이 전투에 나갈 때의 힘찬 모습에서 따왔다. 이는 인도 최고
의 시인으로 추앙 받는 칼리다사의 시 '전쟁신의 탄생'에 나오
는 영웅을 기리는 자세이기도 하다.

세상에는 영웅을 기린 서사시가 많다. 잘 알려진 '일리아드'와
'오디세이'도 그리스와 트로이 전쟁의 수많은 영웅을 그린 서사
시다. 그러나 이보다 훨씬 앞서 수메르어로 기록된 '길가메시'
란 서사시도 있었다. 영웅을 소재로 한 서사시는 이후에도 곧
잘 등장했다. 영국의 '베어울프'와 '아서왕 이야기', 프랑스의 '
롤랑의 노래', 독일의 '니벨룽겐의 노래' 등도 다르지 않다.

사람들은 왜 영웅을 기릴까? 심지어 전쟁이 없는 평화기에도 영웅을 찬양하는 이유는 도대체 무엇일까? 영화 '명량'이 최근 큰 인기를 끌고 있다. 영웅 이순신의 명량대첩을 다룬 영화다. 이미 1천600만 명 이상이 자발적으로 이순신의 활약상을 보기 위해 영화관을 찾았다. 영화의 속성상 일정 부분 허구임에도 사람들은 이에 환호하고 박수를 보냈다.

세월호 참사 등 어수선한 시국에서 난세를 극복한 그의 위대한 정신을 다시 느끼고 싶은 까닭일 테다. 400여 년의 시공적 간극에도 불구하고 그의 리더십은 묘한 카타르시스를 느끼게 하는 것이다.

이른바 '이순신 신드롬'은 지금 이 땅에 부재한, 참다운 지도자, 참다운 영웅에 대한 시대적 갈망으로 해석된다.

비라바드라 자세는 영웅의 강인하고 힘찬 에너지를 끌어모으는 자세다. 따라서 각 동작에서 이를 적극적으로 반영해야 한다. 우선 한쪽 무릎을 직각으로 구부린다. 두 손은 천천히 모아 위로 추켜올린다. 그 다음 가슴을 앞으로 활짝 내밀면서 뒤로 젖힌다. 앞가슴 부분의 울체된 기가 풀려 심리적 안정감을 취할 수 있고, 발목과 무릎의 강화, 어깨와 등의 긴장 해소 효과가 크다.

일이 어렵고 뜻하는 대로 이뤄지지 않거나 자신감을 잃었을 때 이 자세를 취해 봤으면 좋겠다. "운명아 비켜라. 내가 간다"고 부르짖은 니체의 외침을 되뇌면서 말이다. 혹, 슈트라우스의 교향곡 '영웅의 생애'까지 들을 수 있다면 금상첨화이겠다

43. 메뚜기 자세

허리 튼튼해지고 위장 장애 없어져

윤주원

영화 '올드보이'(2003)에서 유지태가 연출한 것이 '메뚜기 자세다. 이마를 바닥에 대고 엎드린 채 두 주먹을 가볍게 쥐어 복부 밑에 두고, 다리를 동시에 높이 들어 올리는 자세다. 메뚜기가 꼬리를 들고 있는 모습과 흡사하다고 해서 이런 이름이 붙었다.

메뚜기는 길고 튼튼한 뒷다리로 자신의 키보다 몇 배나 더 높은 곳도 뛰어넘는다. 그만큼 힘과 순발력을 지녔다. 따라서 이 자세를 반복해 연습하면 허리가 튼튼해지고 요통을 예방할 수 있다. 또 위장 장애와 가스도 없애 준다. 엉덩이는 탄력성을 회복하고, 신장과 방광의 자극을 통해 생식기능이 활성화된다.

메뚜기는 풀이 무성한 곳이나 논, 밭 등에서 주로 서식한다. 먹이는 벼나 콩 따위의 잎이다. 개미, 사마귀, 때까치, 개구리, 여치 등 포식성 동물이 천적이며, 우리나라에는 풀무치, 벼메뚜기, 각시메뚜기, 방아깨비, 콩중이, 팥중이 등의 메뚜기가 있다.

메뚜기는 한때 농업에 큰 해를 끼치는 해충으로 분류됐다. 구약성서 '출애굽기'에는 이 같은 메뚜기의 습격을 다룬 내용이 상세히 전한다. 중국을 배경으로 한 펄 벅의 소설 '대지'에도 메뚜기가 벼를 싹쓸이하는 장면이 나온다. 우리나라도 다르지 않다. 삼국사기와 고려사 등에는 메뚜기에 의한 대규모 피해 사례가 기록돼 있다.

농작물에 피해를 주는 메뚜기는 대부분 벼메뚜기로 불린다. 이들 벼메뚜기가 한때 농약의 과다 사용으로 멸종 위기에 처했다가 최근 다시 급증하고 있다는 언론 보도가 잇따르고 있다. 아무튼 요즘 메뚜기는 친환경 농업을 알리는 홍보대사이기도 하다.

배고픈 시절, 벼메뚜기는 개구리와 함께 동물성 단백질을 보충해 주었다. 엄연한 식품이었던 것이다. 해충이든, 익충이든 적절한 개체 수의 보존은 필요하다. 인간도, 동물도, 곤충도 공존할 수 있는 생태계가 요구된다.

이번 추석 귀향길에는 황금 물결이 치는 벼 이삭 사이에서 벼메뚜기가 톡톡 뛰는 모습을 보았으면 좋겠다. 그때 박경리의 소설 '토지'에 나오는 '메뚜기 누워서 따 먹는다'라는 표현을 떠올리고 싶다.

44. 벌 소리 호흡법

뇌 긴장 풀어주고 화·불안감 경감

허수정

추석 전후로 성묘나 벌초를 다녀온 사람이 많을 것이다. 혹, 벌에 쏘이지 않았는지? 특히 덩치가 큰 말벌의 공격은 치명적이다.

벌은 1㎜ 이하의 좀벌에서 70㎜를 웃도는 대모벌까지 크기가 다양하다. 그중 꿀벌은 인간과 가장 가깝다. 꿀벌과의 관계는 구석기부터 시작된 것으로 알려졌다. 스페인 알타미라 동굴에서 발견된 벽화 '벌꿀 사냥'이 그 증거다. 그리스인은 꿀을 '신의 식량'이라 불렀다. 성서에서는 가나안을 '젖과 꿀이 흐르는 땅'이라고 표현했다.

인도신화에 등장하는 크리슈나는 어릴 때 높은 다락에 있는 꿀을 잘 찾아 먹은 장난꾸러기였다. 이집트의 한 피라미드에서는 약 3천 년 전의 꿀단지가 발견되기도 했다. 우리나라도 신라 때부터 꿀을 이용한 기록이 남아 있다.

민속문화에서 곤충은 각기 다른 함의를 지녔는데, 사대부는 꿀벌을 신의와 의리의 곤충으로 여겼고 서민들은 재물복과 부귀를 가져다 주는 아이콘으로 받아들였다. 요즘 전 세계적으로 꿀벌이 사라지고 있다는 뉴스가 잇따르고 있다.

꿀벌의 실종은 재앙을 예고한다. 지구의 운영자인 인간이 자연환경을 무시한 채 편의만 추구한 결과다. 우리가 잘못 쏜 화살은 언젠가 부메랑이 되어 돌아올 것이다. 꿀벌이 사라진 가을, 수확의 기쁨을 누리지 못하는 농부들의 주름살 깊은 한숨은 상상만 해도 끔찍한 일이다. 환경에 대해 다시 한 번 깊은 성찰이 뒤따라야 한다.

요가에서는 '벌 소리 호흡' 수련법이 있다. 명상 자세로 앉아 인지나 중지로 귀를 막고, 코를 통해 들숨을 쉰 뒤 자신의 내부로부터 흘러나오는 여러 가지 소리를 듣는 것이다. '음'이나 '옴' 등의 소리를 연속적으로 허밍하듯 내도 된다. 그 소리가 두개골의 앞부분 송과체까지 울려 퍼지도록 한다. 스트레스와 뇌의 긴장을 덜어 주고 화, 불안, 불면증을 경감시키며 혈압을 조절해 준다. 목소리를 맑게 하고 목의 질환도 예방하는 데 도움을 준다.

45. 전갈 자세

하지 정맥류 개선에 효과

최진태

밤하늘을 한없이 쳐다본 것이 언제였나? 이런 의문이 문득 든다. 해상과 육상에서 워낙 많은 일이 생기다 보니 고개를 들어 여유롭게 밤하늘을 올려다본 것도 꽤 오래된 것 같다. 그나마 추석에 보름달이라도 구경했을까?

밤하늘에는 달만 있는 게 아니다. 광활한 하늘을 유심히 살피면 점점이 크고 작은 별을 관측할 수 있다. 한여름이라면 은하수가 지평선 위로 장엄하게 펼쳐진 남쪽 하늘에서 낚싯바늘 모양의 전갈자리도 찾는다. 독침을 휘두르며 오리온에게 다가가는 그리스 신화 속의 그 전갈이다. 그러나 전갈은 오리온을 잡지 못한다. 여름이 결국 다 끝나고 전갈 자리가 서쪽으로 기울 때면 동쪽에서 오리온 자리가 슬그머니 자리 잡는다.
전갈은 세상 어디에나 있다. 그중에는 치명적인 독을 가진 놈도 있다. 또 성체 크기가 최대 20㎝에 이르는 황제전갈은 독이 없고 큰 덩치 덕분에 애완동물로 인기를 얻고 있다.

이집트 카이로박물관에는 투탕카멘 관을 호위하는 황금상 4개가 있다. 그중 하나가 고대 이집트 여신인 '셀케트'다. 이 여신의 머리 장식이 전갈 모양이다. 또 한자 '萬(만)'도 전갈을 상형화했다. 칵테일 중에 '스콜피온'(전갈)이라는 것이 있다. 감칠맛 뒤에 숨은 알코올 도수가 생각보다 센 전갈 독을 연상시키는 데서 이름이 붙었다고 전한다.

요가에는 긴 꼬리를 머리 쪽으로 넘기고 잔뜩 몸을 도사린 전갈의 형상을 닮은 전갈 자세가 있다. 머리를 바닥 쪽에 두고 물구나무 선 자세에서 깍지 낀 손을 풀고 팔꿈치로 체중과 균형을 유지한 후 천천히 머리를 들어 경추나 허리를 뒤로 젖힌다.

오랫동안 서 있는 데서 나타나는 하지 정맥류를 개선하고 팔과 어깨, 허리 힘을 강화시켜 준다. 균형감각과 집중력, 의지력을 높이는 효과도 크다.

머리는 지식이 자리 잡은 곳이다. 자만심, 불안, 증오, 질투, 완고함, 탐욕의 자리이기도 하다. 따라서 이 자세는 발로 자신의 머리를 짓누르는 몸짓으로 자신을 파괴하고 있는 다양한 감정과 욕망을 누그러뜨리는 효과가 있다. 이른바 인간 본연의 선한 심성을 회복시켜 주는 자세라고 할 수 있다. 오늘 하루 나도 모르게 주위 사람들에게 전갈처럼 독을 내뿜어 상처를 준 것은 아닌지, 돌이켜 볼 일이다.

46. 수탉 자세

손목·어깨 근력 강화에 효과

김영희

생상스의 대표작인 '동물의 사육제'는 14개 소품 곡으로 이뤄졌다. 그중 두 번째 곡이 '수탉과 암탉'이다. 피아노와 바이올린, 클라리넷으로 수탉이 모이를 쪼고 암탉이 우는 장면을 표현했다.

황순원의 단편소설 '소나기'에도 수탉 얘기가 나온다. 소년은 소녀를 좋아하는데, 어느 날 아버지가 소녀의 친척집인 윤 초시네 제사에 암탉을 가져가려고 하자 덩치가 더 큰 수탉을 가져가라고 했다가 괜히 자신의 마음을 들킨 것 같아 수줍어하는 소년의 이야기가 나온다.

박혁거세와 김알지 신화의 공통점도 닭이다. 닭은 이른바 왕의 등극을 예견하는 상서로운 동물이었다. 경주에는 계림이라는 지명이 있는데, 이 역시 닭과 관련이 있다.
이처럼 닭은 오래전부터 친숙한 동물이다. 전통 혼례 때 수탉과 암탉을 탁자 위나 아래에 놓았는데, 닭 울음처럼 혼례도 밝고 신선한 출발이 되라는 뜻을 담았다고 전한다.

101

유교 문화에서는 닭을 5가지 덕을 갖춘 동물로 여기고 있다. 즉, 볏은 문(文), 날카롭게 뻗은 발톱은 무(武), 적을 봐도 물러서지 않고 싸우는 닭의 성질은 용(勇), 먹을 것을 함께 나누는 행동은 인(仁), 때를 맞추는 습관은 신(信)을 상징했다.

대한민국 정부 수립 후 처음 나온 담배 이름이 '계명'이었다. 한반도 지도 위에 새날의 시작을 알리는 그림이었는데, 여기에 등장한 것도 수탉이었다.

요가에도 수탉 자세가 있다. 결가부좌(파드마아사나)로 양다리를 교차시키고, 양손을 허벅지와 종아리 사이로 집어넣은 후, 수탉 같은 모습으로 바닥을 손으로 짚고 몸을 들어 올린다.

손목 강화와 팔, 어깨 근력의 향상에 도움을 준다. 집중력과 균형 감각도 좋아지고 복부 압력 상승으로 내장 기능이 개선된다. 수탉은 암탉보다 볏과 깃털이 더 크고 화려하다. 이 때문에 볏과 깃털을 잔뜩 세운 수탉의 모습은 종종 자신감의 상징으로 묘사되곤 한다. 그러나 정작 이 자세를 취한 수탉은 좀처럼 움직일 수 없다. 혹, 자만이 스스로를 묶는 것은 아닐지 자성해 볼 일이다.

수탉이 먹을 것을 찾기 위해 끊임없이 땅을 파는 것처럼 부단한 자기 성찰이 요구되기도 한다. 어렵게 올라간 자리라고 할지라도 하루아침에 추락하는 일이 워낙 많아서 하는 얘기다.

47. 산 자세

척추·다리근육·관절 강화에 도움

박미희

산은 주위보다 높이 솟은 지형을 말한다. 고유어로는 '뫼' 또는 '메'라고 부른다. 유엔 집계에 따르면 육지의 5분의 1이 산이다. 그 산악 지역을 인류의 10분의 1이 삶의 터전으로 살아가고 있다.

산이 가마솥 모양 같아서 '가마솥 부(釜)'의 '부산(釜山)'이 나왔다. 부산시계에만 금정산, 백양산, 구덕산, 승학산, 달음산, 장산 등이 있다. 지구에서 가장 높은 산은 해발 8,848m의 에베레스트 산이다. 한반도에서는 해발 2,744m의 백두산이 가장 높고, 다음으로 1,950m의 한라산이다.

산에 거주하지 않더라도 많은 사람들이 자진해서 산에 오른다. 사서 고생인데도 말이다. 그 이상의 무언가가 있기 때문이리라. 산행 이유로 흔히 회자되는 유명한 말은 "산이 거기에 있기 때문(Because it is there)"이다. 영국의 산악인 조지 말로리가 한 말인데, 산은 자기를 극복하려는 소망을 상징하는 듯하다.

산은 순수함과 사심 없음을 나타낸다. 산에 오른다는 것은 우월, 교만 등을 내려놓고 겸허해지기를 요구한다. 예로부터 산은 속세를 떠난 고요함 속에서 자연의 소리나 선지자의 목소리를 듣고 자신과 주변 환경의 세계를 연결하려 했던 자들이 즐겨 찾는 곳이었다.

산은 영검한 곳으로 많은 민족들이 신화의 발생지로 산을 꼽았다. 우리나라의 단군신화도 다르지 않다. 지금도 태백산과 마니산에서 천제를 지내고 있다. 중국의 오악, 티베트의 카일라스 산, 네팔의 히말라야, 그리스의 올림포스 산, 유대인의 시나이 산도 마찬가지다.

요가에서 '산 자세'는 양발에 고르게 체중을 싣고 팔을 양옆에 둔다. 척추를 똑바로 펴고 괄약근을 조이며 뒷목을 바르게 세운다. 이 자세는 척추, 복부근육, 다리근육, 다리관절을 강화시키며 어깨와 가슴을 확장시킨다. 엉덩이를 탄력 있게 하고 나쁜 자세와 걸음걸이를 바로잡는 효과도 있다.

정중여산(靜中如山), 즉 조용하고 무겁기가 산과 같게 하여 바로 자신이 히말라야가 되고 백두산, 한라산이 되어보는 자세이다. 서서하는 모든 요가의 기본이 된다. 인생이라는 거대한 산을 오르며 오늘도 묵묵히, 때로는 고독하게 오욕칠정의 짐을 짊어지고 뚜벅뚜벅 발길을 내딛고 있는 자신을 돌아보게 하는 자세다.

48. 토끼 자세

머리 맑게 하고 탈모 예방 효과

이은영

토끼는 초식 동물로 귀와 뒷발은 길고 앞발은 짧아 깡충깡충 뛰어다니는 동물로 묘사된다. 애니메이션의 소재가 될 정도로 친숙한 동물이기도 한데, '개구쟁이 스머프'에서 스머프의 꼬리는 토끼와 유사하다.

애니메이션으로 탄생한 엽기토끼 '마시마로'도 낯설지 않은 캐릭터다. 고기와 털을 얻기 위한 가축으로 키우고, 모습이 귀여워 일부에서는 애완동물로 키우기도 한다. 과거 새마을 운동 시기엔 정부에서 농가소득 증대와 구휼을 위해 토끼 기르기를 권장했다. 당시 학교에서는 토끼집 당번을 둘 정도였다.

'토끼 같은 자식'이라는 말에서 알 수 있듯이 토끼는 부부애와 자손의 기원을 나타낸다. 조선시대 민화에서는 계수나무 아래에서 방아 찧는 토끼를 흔히 볼 수 있다. 이것은 '방아 찧기'로 부부애를 은유한 것이라는 설도 있다.

서양의 이솝우화에 나오는 '토끼와 거북이'처럼 인도 고전 '히토파데샤'에서도 '사자와 토끼' '코끼리와 토끼'와 같은 이야기를 많이 읽을 수 있다. 불교의 '본생경'에도 토끼가 스스로 불 속에 몸을 던져 자기 자신을 소신공양하는 얘기가 나온다. 우리나라의 구전 소설 '토끼전' '별주부전' '토생원전', 개화기 소설인 '토끼의 간', 판소리 '수궁가'에도 토끼가 어김없이 등장한다.

요가에서 토끼 자세는 무릎을 꿇고 앉아 엉덩이를 들어올리는 것으로 시작한다. 이때 몸을 앞으로 굽혀 정수리가 바닥에 수직으로 닿게 한다. 양손은 등 뒤에서 깍지를 끼고 머리 쪽으로 천천히 잡아당긴다. 이 자세는 정수리를 자극해 뇌세포의 혈액과 산소가 원활히 공급되는 효과를 낳는다. 덕분에 머리가 맑아지고 화나 스트레스도 줄어든다. 두피를 자극해 탈모 예방에도 효과적이며 목덜미나 어깨 결림에도 좋다. 얼굴 부기도 빼주고 목선을 아름답게 하여 얼굴이 작아 보이는 효과도 있다고 들었다. 그러나 요통이나 목 디스크가 심한 사람은 주의를 요한다.

달은 부드럽고 은은한 파동을 내뿜는다. 이는 곧 평화와 고요를 상징한다. 인도 사람들은 달이 토끼를 품고 있다는 뜻으로 이 같은 토끼 자세를 달을 상징하는 '사샹카 아사나'라고 부른다. 이 자세를 통해 몸과 마음이 고요함과 평화로움을 맛볼 수 있었으면 좋겠다.

49. 오피스 요가

간편하게 언제 어디서든 가능

장정원

네덜란드 역사학자인 요한 하위징아는 인간을 '호모루덴스 (Homo Ludens)', 즉 '놀이하는 인간'으로 파악했다. 하지만 인간이라면 누구나 일을 해야 한다. 일은 사람을 육체적으로, 정신적으로 건강하게 만든다. 그러나 휴식도 없이 너무 일에 빠지면 오히려 건강을 해칠 수 있다.

특히 현대 직장인들은 일에 대한 중압감과 스트레스가 너무 커 스스로 건강을 해치는 사례가 늘고 있다. 이는 기업 차원에서 도 바람직하지 않다. 직장인의 과도한 스트레스가 결국 직장의 업무 능률까지 떨어뜨리기 때문일 테다. 게다가 사무직이라면 으레 키보드를 두드리고 목을 쑥 내밀어 컴퓨터 모니터를 바라 보게 된다. 이러니 어깨와 목, 등이 무겁고 몸도 쉽게 지칠 수 밖에 없다.

그래서 어깨와 목을 풀고 온몸의 균형을 잡아 주는 운동이 일상적으로 필요하다. 하지만 그럴 시간도, 그럴 장소도 마땅치 않다. 어떻게 해야 하나? 이런 상황을 감안해 내놓은 것이 이른바 '오피스 요가'다. 스트레칭, 지압, 마사지, 걷기, 호흡 등도 모두 여기에 포함된다.

오피스 요가는 아무 데서나, 어떤 시간에도 가능한 것이 최대 장점이다. 옷을 갈아입을 이유도, 특별한 도구가 필요한 것도, 많은 시간이 요구되는 것도 아니다. 예를 들어 점심 식사 후, 혹은 커피를 마시는 동안, 그것도 아니면 지하철을 기다리거나 거리를 걷는 동안에도 짬짬이 할 수 있다. 또 화장실 갈 때와 엘리베이터를 탈 때, 사무실 내에서 컴퓨터 앞에 앉았을 때도 가능하다.

바른 자세로 앉기, 두 손 깍지 끼고 머리 위로 기지개 켜기, 목 피로 풀기, 손발의 피로 풀기, 어깨 피로 풀기, 허리 옆구리 피로 풀기, 척추 앞뒤와 옆으로 숙이기, 척추 좌우 비틀기, 눈의 피로 풀기, 심호흡하기, 어깨와 목 주무르기 등이 모두 그런 경우다. '물라반다'라고 하는 항문 죄기, 계단에서 발끝으로 서서 종아리 자극하기, 점심시간 이용해 잠시 걷기, 출퇴근길 계단 오르내리기 등도 좋다.

최근 기업에서 '펀(Fun) 경영'이란 말이 회자한다. 직원들에게 활력을 줘서 즐겁게 일하게 하자는 경영 방법이다. 재미를 삶의 에너지로 바꿔 사원의 자발적인 참여와 헌신, 창의력을 이끌어내겠다는 기업의 의도이기도 하다.

50. 수인 무드라

기억·집중력 높여 주는 '손 요가'

임은주

요가에서 손바닥이나 손가락을 특정한 모양으로 취하는 손 요가를 전문용어로 '수인 무드라'(手印 mudra)라고 한다. 무드라는 제스처 혹은 몸짓, 태도로 해석되는데, 언어가 채울 수 없는 의식적, 무의식적 세계에서 다양한 형태로 오랫동안 존재했다. 무드라는 그만큼 우리의 몸과 마음의 성장에 크고 작은 영향을 미쳤다.

어릴 때 자주 했던 '짝짜꿍 짝짜꿍'이나 '곤지곤지 죔죔', '실뜨기 놀이' 등도 알고 보면 무드라에 속한다. 또 뭔가 간절히 기원할 때 두 손을 꼭 마주 잡고, 반가운 사람을 만났을 때 상대의 손을 꼭 감싸 쥐고, 불안할 때 손을 이리저리 만지며 깨무는 동작도 다 무드라다. 이는 인종과 문화, 연령, 성별, 시대를 초월한 고유의 표현법이자 침묵의 언어다.

아동 교육 전문가들은 젓가락질, 피아노 치기, 손 놀이 등이 아이들의 창의력과 두뇌 발달을 돕는다고 주장한다. 손을 많이 사용해야 뇌도 더 발달한다는 얘기다. 손을 '제2의 뇌'라고 부르는 이유도, 손을 많이 쓰는 사람이 오래 사는 것도 이와 무관하지 않다.

손에는 발처럼 몸의 각 부분에 해당하는 반사영역이 골고루 퍼져 있다. 이 때문에 손의 각 영역은 신체기관의 특정 부분과 직·간접으로 반응한다. 인도 춤꾼들은 다양한 손동작으로 우주의 생명력을 표현했다. 손짓을 통한 춤의 상징성은 풍부하다. 오히려 언어보다 훨씬 더 다양한 측면을 표현하기도 한다.

수인 무드라는 옛날부터 영적인 치유와 진화에 특별히 도움을 주는 것으로 여겼다. 그중에는 명상 때 주로 활용하는 '즈나나 무드라'와 '친무드라'도 있다. 앉은 자세에서 두 엄지손가락과 집게손가락 끝을 붙이고(또는 엄지손가락이 집게손가락의 손톱 위를 가볍게 누르기도 함) 다른 세 손가락은 펴서 허벅지 위에 올려 놓는다. 이때 손바닥이 아래로 향하면 '즈나나(jnana)무드라'라고 하고 위로 향하면 '친(chin)무드라'라고 한다.

인도의 무드라 연구가인 케샤브데브는 "무드라가 기억력과 집중력을 향상시키고 긴장감을 덜어 주며 불면증 치료에도 효과적"이라고 주장했다.

가을이 깊어간다. 즈나나무드라로 명상에 **빠져도** 좋고, 기도나 사색, 묵상으로 조용히 하루를 보내는 것도 이 계절을 즐기는 방법 중 하나가 되리라 생각된다.

51. 요가와 향기요법

명상 수련 때 사용 몸·정신 맑게 해

장정원

좋은 향을 맡으면 기분이 상쾌하고 마음이 편안해진다. 이 때문에 숲 속에 들어섰을 때 자신도 모르게 깊은 숨을 들이쉬고 내쉬는 동작을 반복하게 된다.

종교 의식에서도 향은 즐겨 사용된다. 종교의 성스러운 환희를 향을 통해 느낄 수 있다고 믿기 때문일 테다. 행복, 사랑, 기쁨과 같은 정신적 감흥도 향기를 통해서 충족될 때가 많다. 향이 온몸으로 퍼지며 색다른 경험의 세계로 이끌기 때문이다. 향은 또 주변 공기를 정화시키고 영적인 분위기를 만들어 부정적인 태도나 혼란스러운 상태에서 벗어나도록 돕기도 한다.

인도에는 수천 년의 역사를 지닌 '아유르베다(Aurveda)'가 있다. 우주와 인간을 서로 연결시켜 고찰하고 인간의 항상성 유지에 초점을 둔 의학서다. 그중 한 분야가 허브를 이용한 '아로

마세러피'(향기요법)로 알려졌다. 여기서 언급된 허브는 향기가 나는 약초를 총칭하는데, 그리스어로는 '기쁨의 향기'를 뜻한다. 또 허브에서 추출된 오일을 에센셜 오일이라고 부르며, 인체의 부족한 에너지를 채워 주는 역할을 한다고 인도인들은 믿었다.

향기가 신체에 미치는 영향은 일상에서도 다양하게 나타난다. 예를 들어 기분이 좋지 않을 때 신선한 오렌지 향을 맡으면 마음이 훨씬 가벼워진다. 또 솔잎 향은 편안한 기분이 들게 하고, 페퍼민트 향은 머리를 맑게 하며 기억력을 높여 준다. 라벤더 향은 긴장을 풀어 주고 스트레스를 완화시킨다.

고대인은 동서양을 막론하고 향을 신성한 물질로 여겼다. 우리 선조도 마찬가지다. 향료를 신성시했으며 이를 즐겨 사용하기도 했는데, 특히 단군은 지금의 태백산을 묘향산이라고 부를 정도로 향의 가치에 큰 의미를 두었다. 묘향산(妙香山)은 '향기 나는 산'으로 해석될 수 있겠다. 고구려 쌍영총 고분 벽화에서도 여인이 향로를 머리에 이고 두 손으로 받쳐 든 장면을 확인할 수 있다.

요가에서도 향은 일찍부터 사용됐다. 특히 명상 수련이나 이완 동작 때 향기요법을 병행했다. 이때 몸과 정신에 영향을 주어 요가의 효율을 극대화시킨다. 중국 상서에는 '향기를 다스릴 수 있는 경지에 이르면 신명을 느낄 수 있다'는 대목이 나온다. 신명(神明)은 글자 그대로 '신령스럽고 이치에 밝다'는 뜻이다.

52. 사르방가 아사나

'몸을 거꾸로' 혈액 순환·뇌기능 향상

이은영

산스크리트어로 '사르바(Sarva)'는 전체, '앙가(anga)'는 사지 또는 몸통을 뜻한다. 그러므로 사르방가 아사나는 '몸 전체를 거꾸로 세우는 자세'를 의미하며, 어깨와 등을 대고 거꾸로 선 모양은 촛불 자세, 어깨 서기 자세, 어깨 도립 자세로 불린다. 이 자세는 인생에서 짊어져야 할 책임과 의무, 권한의 짐을 어깨로 떠받치고 있는 모습처럼 보인다. 또 인생이라는 한 자루의 양초를 태워 가는 과정을 떠올리게도 한다.

인류는 불을 제어한 이후 바야흐로 문명의 길을 걸었다. 불을 신성시하는 풍습은 전 세계 여러 민족에게서 확인된다. 그중 인도에는 우리말 아궁이와 유사한 '아그니'라는 불을 관장하는 신이 있고, 서구사회에도 인간에게 불을 훔쳐다 준 프로메테우스의 신화가 전해지고 있다.

불은 활활 타오르는 형상 때문에 생명력의 상징으로 여겨진다. 특히 그 파괴력 때문에 더럽고 사악한 것을 한번에 물리치는 청정의 힘이자 정화의 표상으로도 불린다. 초는 그 불을 밝히는 도구다.

효용성만을 따진다면 초는 벌써 없어졌을 문명의 이기다. 그럼에도, 전등의 시대에도 초는 그 존재감을 잃지 않고 있다. 습도 조절과 악취 제거 등의 효과가 거론되지만, 이보다 정신 세계를 무한히 확장시키는 특유의 심미적 매력 때문이 아닐까 싶다.

이 초를 닮은 사르방가 아사나는 요가 동작의 어머니라고 한다. 인체 조직의 조화와 균형을 위해 자애로운 어머니의 따뜻한 손길처럼 몸 전체에 이로움을 준다. 즉, 직립 생활에 따른 한쪽으로의 쏠림 현상을 막고, 혈액 순환과 두뇌기능 향상에도 도움을 준다. 마음을 안정시키고 스트레스를 완화시키며, 신진대사를 활성화시켜 피부 탄력도 좋아지게 한다. 물론 목이나 허리에 문제가 있다면 자세를 만들 때 주의가 필요하다.

사람은 인생이라는 양초 한 자루씩 갖고 태어난다고 했다. 그리고 한평생 불을 밝히다 그 불이 꺼지면서 인생도 함께 마무리하게 된다. 매일매일이 그만큼 소중하다는 얘기일 테다. 한자루밖에 없는, 오직 한 번밖에 사용할 수 없는 촛불을 정성껏, 진지하게 태워야겠다는 다짐을 하고 싶은 자세가 사르방가 아사나다.

53. 차크라 아사나

척추 유연성·자율신경 조절에 도움

임은주

차크라(Chakra)는 산스크리트어로 '바퀴' 또는 '원형'을 뜻한다. 요가에서는 기운이 회전하는 '소용돌이'로 종종 묘사된다. 인도의 신비적 신체론에서 척추를 따라 존재하는, 생명 에너지인 '기(氣)'의 집적 장소도 차크라다. 이는 바퀴와 닮아서 '수레바퀴 자세', 활을 위로 한 모양과 비슷해 '위로 한 활 자세'로 불린다.

소설가 헤르만 헤세의 작품 '수레바퀴 밑에서'에서도 가장 먼저 떠오르는 것이 바퀴다. 바퀴는 인류 발명품 중 가장 중요하며, 모든 차량에 달려 있을 정도로 중요한 부품이다.

인도 국기에는 청색 문양의 수레바퀴가 새겨져 있는데, 마우리아 제국 아소카 왕 때 세운 사자상의 법륜(法輪)에서 유래했다. 법륜에는 24시간을 뜻하는 24개의 바퀴살이 새겨져 있다. 이는 법의 윤회를 뜻하며 진리의 수레바퀴를 상징하기도 한다. 그래서 부처님의 설법을 법륜이라고 한다. 불상이 조성되기 전까지 불교 조각과 회화에서는 보리수나 돌탑과 함께 이 법륜을 많이 활용했다.

요가에서 차크라는 우주의 기운을 자신의 몸에서 발견하고, 그 것을 통제해 지고한 정신세계로 향하는 연료가 된다. 이른바 육체 너머의 정신적 에너지를 뜻하는 것이다.

'차크라 아사나'는 위를 보고 누워 양다리를 엉덩이 쪽으로 당긴다. 그리고 손바닥을 바닥에 짚고 숨을 내쉬면서 엉덩이와 상체를 든다. 이때 두 팔과 무릎은 곧게 편다. 우리 몸의 에너지 센터인 일곱 차크라를 모조리 자극하여 전신 활력을 일깨워주는, 더 없이 강력하고 역동적인 자세다. 바닥에 놓인 양발과 양손으로 바닥을 밀어내는 힘도 동시에 요구된다. 하체와 상체의 힘이 골고루 필요한 것이다.

이 자세는 양이자 음이며, 힘과 유연성, 긴장과 이완의 요소를 결합시키는 하타요가의 으뜸이다. 척추 유연성과 자율신경 조절, 소화, 생식, 배설 등에 도움을 주며 등과 어깨, 가슴도 발달된다. 특히 수험생의 불안감, 소심함, 초조감을 줄이는 효과가 크다.

54. 학 자세

근력 강화시켜 강한 에너지 생성

최진태

'천년 맺힌 시름을/출렁이는 물살도 없이/고운 강물 흐르듯/학이 날은다'로 시작되는 서정주의 '학'이라는 시의 한 구절이 떠오르는 학은 두루미목 두루밋과에 속하는 조류로 '뚜루뚜루' 운다고 해 우리말로는 두루미라고 한다. 천연기념물 202호다. 멸종위기 야생동식물 1급으로 지정되어 보호받고 있기도 하다. 선학, 선금, 노금, 태금, 단정학 등으로도 불린다.

고구려 오희분의 고분 벽화에도 백라관을 쓴 선인이 학의 등에 올라타고 하늘로 오르는 그림이 보인다. 학은 이렇듯이 오랜 역사를 지닌 새로 선인들은 학을 새 중의 새로 여겨 왔다. 이를테면, 그림이나 시의 소재로 학을 즐겨 채택하였고 복식이나 도자기 등 여러 공예품에 학을 많이 새겼다.

학수송령(鶴壽松齡)이란 단어도 학이나 소나무처럼 오래 장수한다는 뜻이다. 학의 이러한 상징성과 다양한 세대를 거쳐 사랑받아 온 학의 심미성을 춤사위에 녹여 전승되어 온 민속춤이

117

부산의 무형문화재 제3호인 '동래 학춤'이다.

학은 부부애의 상징으로도 알려져 있다. 평생 일부일처를 유지하는 새로 알려져 있기 때문이다. 인도에서는 학의 울음소리로 생명체들에게 행운이나 재앙을 알려 준다고 인식되어 왔고, 또한 학은 신들과 교신하면서 더욱 높은 의식 상태에 들 수 있다고 믿어 학을 '신들의 사자'라고들 생각했다. 고대인들은 학의 원무(圓舞)에서 태양을 연상하기도 했다. 학 자세는 먼저 쪼그리고 앉아 양 손바닥을 바닥에 짚고 팔꿈치를 구부리면서 발뒤꿈치를 들어 올리고 몸을 앞으로 숙인 채, 엉덩이를 들며 무릎의 양쪽이 가능한 한 겨드랑이 근처에 닿게 하는 자세이다.

손목이나 팔, 어깨는 물론 복부기관을 강화해 주며, 전신의 근력을 강화시켜 몸의 강한 에너지를 생성하게 해 준다. 신체의 균형감각을 잡아 줌으로써 집중력과 인내력, 자신감을 고양해 주는 자세이다. 두려움, 공포 좌절감 같은 감정 등으로 차 있는 물을 딛고 서서 꿈이 이루어지는 그날을 학수고대(鶴首苦待)하면서, 힘겨우나 꿋꿋이 인내하며 극복해 나가는 용기와 의지를 상징하는 자세이다.

55. 8자로 구부린 자세

손목·팔·다리·복부 근육 강화

임은주

산스크리트어로 '8'은 '아쉬타'라고 한다. 태어날 때부터 여덟 군데가 구부러지고 꼬인 장애의 몸을 가지고 태어났던 인도 고전 신화에 등장하는 현인(賢人) '아쉬타 바크라'를 기리기 위해, 구부러지고 꼬인 몸의 형상으로 표현되는 요가 자세도 있다.

숫자 8은 불가에서는 완성 상태를 나타내며 팔정도(八正道)가 있다. 서구에서는 재생을 뜻하며 여덟 가지 행복을 뜻하기도 한다.

통상적으로 많은 수, 불멸, 우주의 법칙, 강력한 힘, 제어력, 성취, 사랑과 우정, 창조적인 사고를 의미하기도 한다. 인도인들은 세상에 현현된 천계의 질서를 상징한다 여겼다. 사원과 만다라의 형태도 여기에 토대를 두기도 했다. 요가에서 가장 근간이 되는 '아쉬탕가 요가'도 8가지 요가의 길을 제시하고 있다.

또한, 숫자 8은 재물과 운을 불러온다고 해 중국인들이 특히 좋아하는 숫자이기도 하다. 2008년 베이징 올림픽이 8월 8일

오후 8시 8분에 개막된 것도 그 때문이다. 맛있는 것을 모두 넣은 요리라는 의미로 '팔보채'란 중국요리도 있고, 여러 가지 모든 분야에서 뛰어난 사람을 '팔방미인'이라 일컫기도 한다.

경제학에서 흔히 인용되는 숫자 중 하나가 바로 80 대 20 법칙이다. '사회의 20%가 사회전체의 80% 효율을 내고, 80% 사람들이 20%의 효율을 낸다'는 의미로 이탈리아 경제학자 파레토가 세운 가설이다.

'8자로 구부린 자세'는 두 다리를 왼쪽으로 펴고 앉아 왼팔은 두 허벅지 사이에, 오른팔은 어깨너비로 열고 손을 바닥에 붙인다. 새끼 꼬듯 오른쪽 발목은 왼쪽 발목에 걸어 고정한 후, 팔꿈치를 구부려 상체를 앞으로 숙이며 두 다리를 바닥에서 들어 올린 상태로 정지한다. 손목, 팔, 다리, 복부 근육을 강화해 주며 신체의 균형 감각과 조화로움을 향상시켜 주는 효과가 있다.

흔히 밖으로 드러나는 모습, 즉 외형에 지나치게 집착해 때론 우리의 정체성 전부를 거기에서 찾기도 한다. 그러나 영혼의 그릇이기도 한 우리 육체는 단순한 육체 이상의 훨씬 큰 의미가 있음을 깨달아 내면의 아름다움과 빛을 되찾는 법을 생각하게 해 준다. 선천적인 장애를 지혜롭게 극복하고 삶의 성장을 이루어 드디어 자나카 왕의 영적 스승이 되었던 '아쉬타 바크라'의 가르침을 되새겨 보게 하는 자세이다.

56. 실버요가

한 발 서기, 신체의 평형 감각 향상

정미자

프랑스 철학자 앙리 베르그송은 '사는 것이 늙는 것이다'라고 했다. 실제로 노화는 탄생과 더불어 시작된다. 노화는 삶을 살아가면서 누구나 결코 피할 수 없는 단계이다.

삶의 질을 생각하게 되면서 '웰빙'과 '노화방지'라는 말이 관심사로 떠오르고 있다. 늙고 병들어 죽는 것은 자연의 섭리. 하지만 늙지 않고 병들어 죽지 않기를 바라는 것도 인지상정이다.

늙는 것은 아무도 막지 못한다. 그러나 최대한 억제하고 늦출수는 있다. 그 대안이 운동요법이다. 건강은 저절로 이뤄지는 것이 아니라 만들어지는 것이라고 한다. 건강할수록 건강을 지켜야 하고 건강하지 않기 때문에 더욱 건강을 만들어야 한다.

늙어서도 젊은이 같은 열정과 기력으로 주변을 놀라게 하는 분들처럼 말이다.

고대부터 전해지는 전통요가는 육체와 정신의 건강, 생명체로서의 능력을 요가 동작, 호흡, 정신 집중을 통해 발휘하도록 구성돼 있다. 예를 들어 뇌신경세포를 활성화시키는 운동으로 '물구나무서기' 동작이 있고 신체 평형감각을 향상해 주는 한 발로 서기 동작 등이 그러하다.

특히 나무자세 동작은 노인들의 치매 예방과 기억력, 집중력 향상에 도움을 주는 동작이다. 유연성, 근력성, 근지구력 향상을 도모하는 동작들로 대부분 구성돼 있다. 육체적 나이가 몇 살이든, 요가를 한다는 것은 너무 늦지 않다고 할 수 있다. 느끼는 나이만큼 나이를 먹는 것이다. 나이가 들수록 심한 운동이나 한꺼번에 장시간을 투자하는 운동은 오히려 몸에 무리를 줘 역효과를 가져올 수 있다. 요가는 각자가 자기 몸에 맞게 운동량을 적절히 조절할 수 있기에 더욱 노인들에게 적합한 운동이다.

근간에 유행하고 있는 "야 야 야 내 나이가 어때서/사랑의 나이가 있나요"로 시작되는 '내 나이가 어때서'라는 유행가 곡조도 함께 흥얼거리면서 즐겁게 요가 동작 한번 취해 보시길 권한다. 그리하여 육체적, 정신적으로도 건강하고 나이들수록 깊은 영혼의 강물이 보석처럼 빛나는 사람을 꿈꾸어 보는 것도 좋을 듯하다.

57. 싯다 아사나

온몸의 기운 막힘없이 순환시켜

김미선

'싯다 아사나'는 명상을 위한 가장 안정된 좌법(坐法) 중 하나이다. 육체적 긴장이 풀리지 않고 균형을 잘 찾지 못하는 사람이 처음부터 명상좌법을 시도하면 자세를 취하기 어렵고 결코 편안하지 못하다. 육체가 병들고 피곤하거나 불안하고 호흡이 산란하면 집중이 여의치 않게 된다.

명상좌법의 중요한 목적은 쾌적한 상태에서 신체의 모든 움직임을 멈추고 깊은 명상에 드는 것이다. 수많은 요가 동작의 궁극적 목적은 안정적이고 편안한 명상 자세의 상태를 획득하기 위한 것이다.

최근 신체를 움직이는 동작 위주의 요가가 부각돼 있다. 요가경전에서는 육체를 정화해 몸과 마음의 조화를 이루는 실천 수행 방법인 하타요가와 명상요가, 즉 라자요가가 함께 일직선상에 존재해야 함을 말한다. 지고한 영적세계에 이르는 목적을 육체를 통해 구현한다는 의미이다.

명상은 인간 생명의 근원으로 돌아가는 것이다. 그러기에 인간의 정신적 고향은 고요함 그 자체가 아닐까? 노자도 도덕경에서 '근본으로 돌아가는 것이 적정(寂靜)이요, 적정은 근본 생명으로의 복귀다'라고 했다. 인도의 고전 바가바드기타도 '정신이 근본을 찾아서 침묵하고 그 속에 완전히 안정되면 그 정신은 확고하고 맑아진다'라고 강조했다.

요가 명상의 출발점은 단 하나의 대상을 향한 의식의 집중이다. '에카그라타'라고 하는 지속적인 한 점 집중은 야생마같이 날뛰고 흐트러진 마음을 고요한 상태로 만든다. 요가수트라 경전에 나오는 '마음 작용의 그침'이 그것이다. 싯다 아사나는 한쪽 다리를 구부려 발뒤꿈치가 항문과 생식기 사이 회음부 가까이 가도록 한다. 그 위에 발을 올려놓는데 두 뒤꿈치의 위아래가 잘 맞도록 포개어 놓고 위에 있는 발끝을 반대쪽 넓적다리부와 종아리 사이에 끼워 놓는다. 이때 상체는 똑바로 세우고 턱은 당겨야 한다.

이 자세는 무릎과 발목의 경직을 다스려 주는 데 좋다. 척추신경을 비롯한 전신의 신경계를 안정시키고 온몸의 기운이 막힘 없이 순환해 깊은 명상에 들게 하는 데 적합한 자세다.

58. 나마스테

사람 영혼에 대한 경의 표현

김혜진

인도 사람들이 만나고 헤어질 때 첫 대화와 마지막 대화가 '나 마스테'다. 요가 시작 전후에도 꼭 하는 인사말이다. 서로 합장한 채 고개를 살짝 숙이고 합장한 손을 가슴에 대면서 하는 인사를 말한다.

나마스테의 몸짓은 사람의 몸 안에 있는 신성한 생명에 대한 믿음을 표현한다. 사람의 영혼에 대한 경의의 표현이다. '남 (nam)'의 의미는 '인사한다', '아스(as)'의 의미는 '나', '테(te)'의 의미는 '당신'이니 '당신과 나에게 인사한다'는 뜻이다. '내가 당신에게 인사한다'라는 말 속에는 '나는 당신 안의 신에게 절합니다' '나는 신이 당신에게 주신 재능에 경의를 표합니다' '내 안의 신이 그대 안의 신에게 인사합니다' '당신은 이 우주를 모두 담고 있으므로 존중합니다' '나는 당신에게 마음과 사랑을 다 해 경배 드립니다' '당신의 독특함과 특별함에 절합니다' '현재의 그대를 존중합니다'라는 뜻도 있다. 상대방에게 정중하게 하는 인사는 마음의 문을 열기 쉽다. 상대를 자신의 마음속에 받아들이기도 쉽다.

인도는 선(禪)과 명상의 극치를 인사말로 쓰는 나라다. 인사는 상대에게 내 존재를 알리고 사람 간 첫 만남을 상징한다. 백 마디 말보다 제대로 된 한 번의 인사가 이미지를 바꿀 수 있다. 환경적·문화적 차이로 각 나라 인사법과 인사말은 다양하다. 서로 끌어안고 양쪽 볼을 대거나 어깨를 주물러 주기도 하고, 서로 끌어안고 한 바퀴 돌기도 한다. 아프리카 탄자니아 마사이 부족은 만나고 헤어질 때 반가움의 표시로 얼굴에 침을 뱉는다. 옛말에 '지나친 예(禮)는 거짓 예로서 예가 없는 것과 같고, 잘못된 예는 예가 아니므로 예를 다하지 못함과 같다'는 말이 있다. 최근 90도 인사로 화제가 된 어느 CEO가 생각나서 하는 말이다.

한 해가 저물어 간다. 제야 종소리가 울려 퍼질 시간이 얼마 남지 않았다. 주변에 생각나는 분들에게 방문, 전화, 연하장으로 연말 인사를 건네고, 새해 덕담을 담은 안부 인사를 해 보는 것은 어떨지? 먼저 기쁨이 솟아나는 걸 느낄 수 있을 것이다. 우리 모두에게 '나마스테!'

59. 마리차 자세

긴장으로 인한 근육통 없애는 효과

김혜진

다리를 가지런히 하 고 앉아 오른쪽 무릎을 접어 왼쪽 허벅지 안쪽에 세우고, 왼팔을 오른쪽 무릎으로 돌려 등 뒤에서 오른 손목을 붙잡아, 상체를 앞으로 숙이면서 턱이 무릎에 닿게 하 는 자세가 '마리차 자세'이다.

이 자세는 복부기관을 유연하게 함과 동시에 등 근육을 펴줌으 로써 긴장으로 인한 근육통을 없애는 효과가 있다. 그러나 임 산부는 주의를 필요로 하는 자세이다.

인도 신화에서 마리차는 '여명(黎明)의 신'으로 묘사되고 있다. 서양에서는 로마신화에 등장하는 여명의 신 아우로라(aurora)

의 이름을 딴 새벽이란 뜻의 '오로라'가 있다.

여명이라고 하면 채시라 박상원 최재성 주연의 MBC 드라마 '여명의 눈동자'(1991~1992년 방영)가 먼저 떠오른다. 1차 대전 때 여자 스파이의 대명사로 알려진 '마타하리'가 인도네시아 어로 여명의 눈동자란 뜻이다.

저무는 해는 사람을 사색에 잠기게 하는 힘을 지니고 있지만, 동터오는 새벽은 시작과 희망의 출발임과 동시에 열정으로 출렁대게 하는 힘을 지녔다. 새벽의 빛깔에는 씨앗에 깃든 생명의 기운이 어려 있다. 하루를 다짐하는 긴장과 다짐이 온몸으로 퍼져나가는 시간이기도 하다.

이제 그 여명을 헤치고 청양 띠의 을미년 새해 붉은 해가 솟아올랐다. 이 맘 때면 여명 속에서 솟아오르는 해를 바라보면서 새해를 맞으려고 해돋이 명승지를 찾아 산과 들과 바다로 나가는 인파로 붐빈다. 이는 자신의 삶을 되돌아보며 묵은해를 보내고 밝은 빛을 통해 새해의 소망을 담아내고자 하는 마음일 것이다.

새해 해돋이는 희망과 축복의 빛이 어둠과 고통 속에서 떠오르길 갈망하는 기도의 시간이기도 하다. '마리차 자세'를 팽팽하게 취하면서 밝아오는 동녘 하늘처럼, 새해에는 더욱 더 따뜻함과 아름다움 가득한 우리네 여정이 펼쳐지길 기원해 본다.

60. 나타라자 자세

척추 이상 방지 효과 탁월

김이림

차렷 자세에서 한 손은 그 쪽 발을 뒤에서 잡고 천천히 상체를 구부린다. 잡은 다리를 들어 올릴 때, 반대쪽 팔은 앞으로 뻗는 다. 숙련된 이는 양손으로 뒤에서 발을 잡아 머리에 대고 균형을 잡기도 한다. 피겨의 여왕 김연아 선수의 멋진 '비엘만 자세'와 유사한데 '나타라자 자세'라고 한다. 여기서 '나타'는 춤추는 자, '라자'는 왕이란 뜻이다. '춤추는 왕의 자세', '춤의 신자세', '무용수의 자세'가 나타라자 자세다.

이 자세는 앞 뒤로 힘의 분배를 함으로써 신체 균형감을 발달시킨다. 다리 근육을 고르게 강화하며 가슴을 펴게 하고 척추의 이상을 방지한다. 엉덩이선을 올라가게 하며 탄력성을 높여 준다. 집중력 향상에도 좋다.

인도의 타밀나두 주의 작은 도시 치담바람에는 춤추는 시바상(像)인 나타라자를 제사하는 대사원인 '나타라자 사원'이 있다. 인도인들은 시바의 열정적인 춤이 세계를 창조하는 근원이라고 여겼다.

고대 사회에서 춤은 종교의식의 중심요소로 대단히 중시됐다. 종교가 추구하는 절대 세계는 시·공간을 초월한다. 이 절대 세계를 표현할 수 있는 것은 말이나 글이 아니라 춤과 음악이라 할 수 있다.

사람은 태어나면서부터 움직임을 가지고 태어난다. 누구나 움직일 수 있는 조건을 가지고 있다. 이러한 움직임이 시작되면서 춤이 생겼고 이러한 움직임들을 엮음으로써 하나의 작품이 완성된다.

그러기에 인류 역사의 기원과 함께하는 춤은 인간의 여러 예술 중 가장 원초적인 예술이다. 또한 마음의 질서를 외적인 음률에 맞추는 몸짓을 통해 표현하는 것이 춤이므로, 춤은 곧 동적인 명상이며, 종합 명상이다.

61. 신진대사 도와주는 '풀무 호흡'

김영희

대장간의 풀무처럼 공기를 강하게 불어넣었다가 내뱉기를 반복하는 호흡법이기에 '풀무 호흡'이라고 부른다. 불의 호흡이라고도 하며 산스크리트어로는 '바스트리카 프라나야마'라고 한다.

명상자세에서 양손은 하복부에 대고 들이마시는 호흡에 복부가 나오고, 내쉬는 호흡에 복부가 들어가게 하며, 들숨과 날숨을 같은 비율로 해, 강하고 **빠르게** 내쉬고 마시기를 리드미컬하게 반복한다.

비만을 감소시키고 혈류에 산소와 이산화탄소의 교환을 향상시킨다. 신진대사를 활발하게 하며 열을 일으켜 노폐물과 독소를 제거해주는 효과가 있다. 눈병, 귓병, 심장병, 간질 등의 증세가 있는 이는 주의를 요하는 호흡이다.

불의 온도를 조절하기 위해 인위적으로 바람을 불어넣는 방법
은 오래전부터 있었다. 조선시대 김홍도의 '대장간' 그림에는
동자가 발풀무를 밟고 있는 모습이 보인다. 노자의 도덕경에는
'하늘과 땅 사이는 마치 풀무와 같구나. 텅 비어서 굴함이 없고
움직일수록 더 큰 소리를 낸다. 많이 들으면 빨리 궁해지니 조
화로움을 지키는 것이 낫다'는 구절이 있다. 영국의 유명한 작
곡가 밴저민 브리튼(1913~1976)은 '뜨겁게 타는 풀무불'이라는
오페라를 썼다.

제주도에서 도깨비는 풀무의 신으로 상정되었다. 우리 속담에
는 '불붙은데 부채질하기', '불난데 풀무질한다'는 재미있는 속
담도 있다.

생명은 절대적으로 호흡에 의존한다. 그러므로 호흡은 생명이
며 삶이다. 호흡한다는 것은 산다는 것이고 호흡이 없으면 생
명도 없다. 갓난아기의 약한 첫 호흡부터 죽어가는 사람의 마
지막 헐떡임까지 그것은 지속적인 호흡에 대한 하나의 긴 이야
기이다. 그러므로 삶은 호흡의 이야기인 것이다. 땀과 정성으로
질그릇을 굽고 쇠를 풀무질하듯이 인격을 닦고 심성을 가다듬
는 일을 도야(陶冶)라고 한다. 끊임없는 고통과 시련의 연단(鍊
段)을 거치면서 사람의 인격과 품성은 점차 도야하고 완성되어
가는 것임을 풀무 호흡 과정에서 되새겨 보게 된다.

62. 인체 기혈의 순환을 안정시키는 '차'

김덕선·김영희

요가 경전인 요가수트라에서는 '아스탕가 요가'라 하여 요가 수행 시 8단계를 명시하고 있다.

그중 체위나 호흡은 궁극적으로 집중과 명상, 삼매에 깊이 들기 위한 전 단계로 설명하고 있다. 이는 인체의 기혈 순환을 원활하고 안정되게 함으로써 가능해진다. 한데 이런 체위나 호흡법 말고도 그런 역할을 더해주는 게 있다. 바로 차(茶)다.

여기서 말하는 차는 국화차나 대추차 등의 대용차가 아닌 참선중 졸음을 이겨내지 못한 자신에게 화가 난 달마대사가 세상에서 가장 '무거운 눈꺼풀'을 잘라 던졌더니 그 자리에서 자랐다는 전설이 깃들어 있는 오직 차나무에서 생성된 것을 말한다.

따뜻한 한 잔의 차는 요가 수련 전이나 수련 후 몸을 부드럽고 따뜻하게 해주며 몸을 정화해 주는 일차적 효과가 있다. 그다음으로는 명상과 삼매를 돕는 작용을 한다.

'그 사람이 먹는 음식 그 자체가 바로 그 사람이다'라는 말은 음식에 내포된 성정(性情)과 기운이 그 사람을 형성한다는 뜻이다. 차의 성정은 군자와 같아서 삿됨이 없다고 하니 더욱 그러하다. 이 세상에서 물을 제외하고 가장 많이 음용되는 음료가 바로 '차'라 한다.

티(tea)나 짜이는 모두 차를 지칭하는 이름이다. 오늘날 세계에서 차를 가장 많이 소비하는 나라가 중국이나 인도가 아니라 영국이란 사실도 재미있다. 인도인들이 즐겨 마시는 것이 바로 짜이이다. 이 짜이는 인도 전통 음료라기 보다는 홍차에 우유를 넣어 마시는 전통이 인도에 전달돼 인도식으로 바뀐 영국의 인도 식민지 문화의 산물이다.

중국의 다성(茶聖) 육유는 '다경(茶經)'을 저술해 차에 대한 규범을 마련하고, 같은 시기 조주선사는 '차나 한잔 들고 가게' 즉 '끽다거(喫茶去)'라는 말로써 학인들을 끌어들임으로써 차와 선(禪)이 일직선 상에 놓이게 되었다. 추사 김정희는 '명선(茗禪)을 썼다. 이것은 차와 선이 한 맛으로 통한다는 것을 강조해 주고 있다.

한 잔의 차를 마시며 마음을 정화하면 떠 있던 화기(火氣)가 스르르 가라앉고 본래 나의 내면 깊숙이 자리해 있던 본성과도 만날 수 있을 터이다.

63. 가르치는 것이 곧 배우는 것

최진태.김영희

사람은 능력을 획득하는 방법이 다양하다. 하지만 '도움을 받으면 빨리 알게 되고 스스로 알려고 하면 늦어진다'는 김삿갓의 시처럼 교육을 받는 것만큼 효율적인 것은 드물다. 특히 학식과 경험이 풍부한 사람으로부터 많은 것을 얻을 수 있다면 그 편리함은 일일이 열거할 필요가 없다.

요가에서는 스승을 '구루'라고 한다. 무지의 어둠에서 벗어나 지혜의 빛으로 나아가게 이끌어주는 영혼의 교사이자 안내자로 모든 면에서 제자를 인도해 성장을 지켜보아 주는 자를 말한다.

근래 요가 수련 현장에서 스승 대신, 생활 속에서 요가의 길을 스스로 실천하고 지도한다는 의미가 깃들어 있는 요가 지도자나 요가 강사, 강사 선생님이란 말이 많이 사용되고 있다. 또 제자란 말 대신에는 회원, 수강생, 학원생 등의 용어를 많이 쓴다. 아무래도 대중성과 보편성, 상업성을 띠다 보니 그리되었을 터이다.

그러나 여전히 학문의 세계이든 도(道)의 세계이든 수행의 세계이든, 기술과 기능의 전수 관계이든, 가르침과 배움의 관계가 존재하는 한 스승과 제자라는 단어가 더 실감 나게 다가옴은 부인할 수 없다.

멘토와 멘티, 영혼의 동반자, 소울메이트라 대변되는 인생에서 평생 잊지 못할 운명과도 같은 극적인 만남이 있다면, 그 사람은 진정 행복한 사람이다. 이를테면 인도 고전 바가바드기타에 등장하는 주인공 아리쥬나와 크리슈나, 외로운 유배자 처지의 정약용과 황상, 추사 김정희와 이상적, 화담 서경덕과 황진이의 애절하고 두터운 스승과 제자 관계처럼 말이다. 공자와 그의 도를 받든 안회, 부처와 그의 법을 전한 사리불 등 10제자, 예수와 그의 진리를 전파한 베드로 등 12사도는 생각만 해도 흐뭇한 관계이다.

요가 지도자들 역시 이들 스승처럼 먼저 스스로 참되고 실속있도록 부단히 힘써 실천 수행해야 한다. 그런 연후, 요가를 지도한다면 '가르치는 것이 곧 배우는 것'이라 했듯이 지도하는 그곳에서 배움의 기회가 공존함을 깨닫게 될 것이다. '가르침과 배움은 다 같이 자신을 성장시킨다'는 의미의 '교학상장(教學相長)'이라는 말이 특히 어울리는 곳이 요가 지도 현장이라는 생각이 든다.

64. 전신 기혈순환 돕는 아기곰 자세

김태욱

요즘 같은 추운 겨울이면 겨울잠을 자는 곰이 먼저 떠오른다.

곰은 전 세계적으로 분포되어 있는데 최소 종은 말레이곰, 최대 종은 불곰이다. 반달가슴곰은 중국 북동부 지역이나 우리나라에 주로 분포한다.

생김새와 동작이 귀여워 인기를 얻고 있는 중국의 판다는 근래들어 판다 외교의 역할을 톡톡히 하고 있다.

우리나라 단군신화는 곰과 깊이 연관되어 있는데 삼국유사에는 쑥과 마늘을 먹고 인간이 된 웅녀이야기가 등장한다. '가락국기'에도 김수로왕의 왕비 허황옥이 곰을 얻은 꿈을 꾸고 태자를 낳았다는 기록이 있어 상서로운 동물로 신성시하고 있다. 설화나 민담에서는 때로 미련하고 어리석은 동물로, 또 변신하는 능력이 있어 신령스러운 동물로 등장하기도 한다.
인명이나 지명도 곰에서 유래된 것이 많다. 백제 시대 공주의 이름이 웅진(熊津)인데, 이를 한글로 풀어쓰면 '곰나루' 혹은 '

고마나루'가 된다. 곰과 연관된 대표적인 지역 중의 하나이다.

스위스 수도는 곰이라는 뜻의 '베른'을 도시 이름으로 쓴다. 곰은 베른의 상징이다. 그곳에는 곰을 주제로 한 공원도 있다. 곰과 관련된 고사성어인 '웅장여어(熊掌與魚)'란 곰 발바닥과 물고기란 뜻으로 두 가지를 겸할 수 없는 경우나 두 가지 가운데 하나를 취사선택하기 어려운 경우를 비유하는 말이다.

하이든의 교향곡 중 82번은 '곰'이란 부제로도 잘 알려졌는데, 마지막 악장이 '곰의 춤'에서 유래했다.

TV드라마 '별에서 온 그대'에서 천송이 전지현이 선보인 모관 운동을 일명 '아기곰 자세'라고 한다. 마치 아기 곰이 등을 대고 누워서 장난치듯 버둥거리는 모습을 닮아서이다.

이 자세는 팔과 다리를 바닥과 수직으로 들어 올린 다음 손목과 발목 관절의 힘을 빼고 양손 양발을 툭툭 가볍게 진동시킨다.

동시에 '아' 소리를 내면서 행해도 좋다. 손끝 발끝부터 전신의 기혈순환을 원활하게 해주며 피로회복과 신진대사를 돕는다. 특히 다리 부종 제거에 효과적이며 숙면에도 도움이 되는 운동법이다.

65. 호흡으로 화를 다스린다

장애리

'어떤 일에도 흥분하지 않는 사람은 광대밖에 없다'고 한 아리스토텔레스의 말을 빌리지 않더라도 본래 '화'와 '분노'는 인간의 가장 기본적인 감정 중 하나이다.

화, 분노, 억울함 같은 부정적인 감정을 제대로 풀지 못하고 정신적 육체적 고통을 겪게 될 때, 우리는 흔히 화병이 났다고 한다. 화를 내면 우리 몸의 면역체계 기능이 저하됨으로써 쉽게 질병에 노출되게 되며 뇌 기능에도 영향을 미쳐 집중력, 기억력, 주의력을 감퇴시킨다고 한다. 그러기에 화를 잘 다스리고 정리하는 것이 삶의 질을 결정한다고 해도 과언이 아닐 것이다.

요즘 이슈가 되고 있는 갑과 을의 관계, 분노조절 장애 등도 여기에 해당한다고 본다. 경쟁과 긴장의 연속인 사회생활에서 몸 안에 화를 조절해 잘 풀어낸다면 좀 더 여유롭고 너그러운 마음으로 세상을 살아갈 수 있지 않을까?
화를 조절하는 방법에는 여러 가지가 있겠으나 그중 하나가 호흡법이다. 호흡은 산소를 혈액으로 보내 뇌에 공급시켜 생명에 너지를 통제함으로써 마음을 통제하는 것이다.

화를 다스리는 호흡법 하나를 소개한다. TV 프로그램에서 정목 스님이 소개했던 호흡법이기도 하다. 달 에너지와 관련된 좌측 콧구멍으로만 호흡해 흔히 '음기호흡법'이라고 한다. 오른쪽 손으로 검지와 중지를 구부리고, 엄지손가락은 태양에너지와 연결된 우측 코 입구 옆에 대고 새끼손가락과 약지 손가락을 모아서 좌측 코 입구 옆에 댄다. 숨을 들이마실 때 우측 코는 엄지손가락으로 눌러서 막아주고 좌측 코로만 공기가 들어오게 한 후, 좌우 콧구멍을 막은 채 숨을 참는다. 이어 천천히 좌측 코를 열고 숨을 내쉰다. 무리하게 숨을 참지 않도록 한다.

두 번째로 '시탈리 호흡법'으로 혀를 대롱처럼 말아서 숨을 가득 들이켠 후 혀를 풀고 입을 다문다. 얼마간 숨을 멈췄다가 천천히 내쉰다. 세 번째는 '시타리 호흡법'이다. 아래 위 치아를 살짝 다물듯이 한 후 숨을 들이켜고 잠시 멈추었다가 내 쉬는 것이다. 이 모두 신체를 서늘하게 해 화기를 내려주기 때문에 마음을 차분하게 가라앉히며 흥분된 감정을 경감시키는 효과가 있다.

66. 복부와 골반 기능 돕는 맷돌 돌리기 자세

김해주

맷돌은 곡물을 가는 데 쓰는 도구이다. 둥글고 넓적한 돌 두 개를 포개고 위짝에 뚫린 구멍으로 갈 곡식을 넣으며 손잡이를 돌려서 갈게 된다. 손잡이는 대개 나무로 만들며 윗돌 옆에 달아 맷돌을 돌린다. 맷돌의 손잡이를 '어처구니'라고 한다. 살다 보면 참 어처구니 없는 일을 당할 때도 잦은데, 이 '어처구니 없다'는 말이 맷돌을 쓰려는데 손잡이가 없는 상황에서 유래했다는 설이 있다.

맷돌은 성경에도 자주 등장 하듯이 서구에서도 일상생활에서 없어서는 안 될 아주 요긴한 주방 도구였다. '일본서기'에는 고구려 승려 담징이 우리 맷돌을 일본에 전했다는 기록이 있다.

맷돌은 크기와 모양도 매우 다양하다. 작게는 약을 가는 데 사용한 약 맷돌, 찻잎을 갈아 말차를 얻는데 사용한 차 맷돌도 있다. 절에서 사용하던 맷돌은 1m가 넘는 것도 있다.
예전에 묵을 만들 때에는 맷돌로 열매의 전분을 추출해 물을 붓고 끓여 되직하게 풀을 쑤어서 굳히었다. '도토리묵을 따서 허리춤에 달아주며/ 한사코 우는구나/ 박달재의 금봉이냐'의 '

울고 넘는 박달재' 가요 역시 연배 지긋한 세대에게는 한층 친근감 있는 노래 가사이다. 맷돌로 갈아 만든 손두부 역시 더욱 귀하게 느껴지는 음식이다.

옛날 옛적에 돌리면 소금이 나오는 맷돌이 있었는데 이걸 물에 빠뜨려서 지금도 소금이 흘러나오고 있으며 이로 인해 바닷물이 짜졌다는 이야기 등이 전해 내려오고 있다. 과욕에 대해 경계하는 교훈적 동화다.

박경리의 토지에는 '네놈은 내 가심에 맷돌을 얹었다'라는 구절이 나온다. 마음에 큰 상처를 준 사람에게 이르는 말이다.

요가엔 맷돌 돌리기 자세가 있다. 다리를 옆으로 벌리고 앉아 가슴 앞에서 팔을 편 채 양손은 깍지를 끼워 잡고 마치 맷돌을 돌리듯 천천히 한 쪽 방향으로 돌린다. 맞잡은 손을 앞으로 밀어 발끝까지 갔다가 뒤로 젖힐 때는 눕다시피 몸을 낮추면서 율동적으로 실행한 후 반대쪽으로 돌린다.

이때 팔꿈치가 구부러지지 않도록 한다. 복부와 골반의 기능을 도와 신경계가 안정되며 특히 여성의 생리 트러블에 효과적인 자세이다. 임신 초기나 출산 후 회복에도 유용한 자세이다.

67. 다리·허리 근육 강화하는 왜가리 자세

김해주

삶은 떠나고 돌아오고 또 떠나는 일의 연속이다. 사람뿐만 아니라 새 중에서도 떠나고 돌아오는 일을 반복하는 새를 일러 철새라 한다. 제비가 그렇고 왜가리가 그러하거니와 한 철을 머물고 떠나는 습성을 주목하여 붙인 말이다.

이중 왜가리는 우리나라에서는 왜가릿과의 가장 큰 새로 턱밑, 얼굴, 목은 거의 백색에 가깝다. 회색인 왜가리의 등에는 검은 줄 댕기깃이 있다. 원래 여름새였으나 이제는 겨울을 나는 철새화되어 주변에서 많이 목격된다. 우리나라에서는 경북 의성군 신평면에 한국 최대의 서식처가 있다.

두루미, 그러니까 학은 머리에 색깔 있는 마스크를 했다. 황새의 목은 짧고 머리가 하얗다. 이 점에서 왜가리와는 다르다. 왜가리는 어류와 양서류, 파충류와 조류, 포유류까지 잡아먹어 치우는 탐식성을 지닌 육식성 조류다. 하지만 먹잇감을 위해 다투지 않고 준비하며, 무심히 때를 기다린 채 물 위에서 특유의 외발 서기를 하는 모습을 통해 노자가 말한 상선약수(上善若水), 즉 물처럼 사는 인생이 가장 아름답다는 것을 몸소 보여주고 있는 듯하다.

강원도 홍천군 북방면 마을에서는 솟대와 장승을 신봉하는 거리제를 지내고 있는데 마을 사람들은 이 솟대를 일러 '왜가리'라고 부른다고 한다. 솟대란 나무나 돌, 쇠로 만든 새를 높게 앉힌 것으로 마을의 풍요와 건강을 기원하는 상징물이다. 장대 위에 새를 앉히는 이유는 사람들이 새를 신앙의 대상이었던 하늘과 가장 가까운 생물로 여겼기 때문이란 설도 있다.

왜가리 자세는 앉은 채 한쪽 다리를 안이나 바깥으로 접고 한쪽 다리는 뻗은 채 양손으로 발목을 잡아 천천히 당기며 얼굴에 무릎이 닿게 하는 자세다. 위로 올려진 다리가 왜가리의 뻗은 목과 머리를 닮았기에 이런 이름이 붙여졌다. 펴진 다리의 후면 대퇴부와 다리 근육을 단련시켜 주고 허리를 강화해 주며, 복부기관에 활력을 주고 등을 부드럽게 풀어주는 데 도움이 되는 자세다.

왜가리 자세를 취하면서 TV 드라마 '모래시계'의 주제곡으로써 러시아 가수가 불렀던 장중하면서도 애절한 '백학'의 선율을 만트라 음악으로 삼아 보자. 3·1절 96주년을 회고하며 순국선열을 기려보는 것도 좋을 듯하다.

68. 인내심 키우는 '차투랑가 단다아사나'

임은주

체중을 양손바닥과 양발가락, 즉 사지(四肢)로 지탱하며 몸을 막대기처럼 팽팽히 펼친 상태로 바닥과 평형이 되게 유지한 채, 납작 엎드린 자세를 일러 '차투랑가 단다 아사나'라고 한다.

웨이트 트레이닝에서는 '프랑크'라는 이름으로 알려졌는데, 푸시업 자세와 유사하다 할 수 있다.

차투랑가는 사지를 일컫는다. 사람마다 나라마다 숫자에도 호·불호가 있는데 어떤 숫자는 행운의 숫자로, 또 어떤 숫자는 불행이나 불운의 숫자로 여겨지기도 한다.

우리 생활 속에서 숫자 4는 꺼리는 숫자의 대명사다. 부지불식간에 꺼리는 관습이 남아 있어 최첨단 시대인 오늘 날에도 엘리베이터 등에는 층 표시가 4 대신 'F'로 표시돼 있을 정도다. 이는 4가 '죽은 사(死)' 자와 발음이 같다는 이유일 터이다.

그러나 주위를 돌아보면 4라는 숫자는 길한 숫자, 행운의 숫자,

성스러운 숫자로 사용되는 경우도 적지 않다. 방향을 나타내는 동서남북, 4계절, 인간으로서 가장 높은 경지에 오른 사람을 일컫는 사대성인, 생년월일을 말하는 사주(四柱), 매란국죽의 4군자, 관혼상제의 사례(四禮), 아이들을 교육하기 위한 사자소학(四子小學), 고사성어인 사자성어, 세계문명의 4대 발상지, 사대복음서, 야구에서의 4번, 행운의 네 잎 클로버 등이 그 예이다. 고대 그리스의 피타고라스학파에서는 4를 신의 계시인 성수(聖數)로 생각했다.

혹자는 숫자 4에는 우리를 둘러싸고 있는 사방의 공간과 전체, 우리의 역사와 사상을 표현하는 완성의 뜻이 있다고 말한다. 그 예가 사방으로 툭 터져 아무 장애가 없는 것을 일컫는 사통팔달이다.

미국 출신 가수로 팝의 여왕이라 일컬어지며 '크레이지 인 러브'라는 곡 등으로 유명한 비욘세 놀스는 앨범 제목으로 음반 '4'(2011년 6월)를 발표했는데 이 음반 명은 비욘세가 4를 행운의 숫자로 여긴 데서 유래했다는 말이 있을 정도이다. 또 서구에서 숫자 4는 기다림의 뜻으로도 통한다.

이 '차투르앙가 단다 아사나' 자세를 통해 때론 고단함과 힘든 시간에 맞서 참고 기다리는 인내력을 키워 볼 일이다. 현재의 견딤은 미래의 효용을 결정한다고 하지 않던가.

69. 동작의 효과를 높이는 요가 도구

김영희

인간을 정의할 때 여러가지 표현이 있다. 호모 에렉투스(서서 걷는 사람), 호모 사피엔스(생각하는 사람), 호모 루덴스(놀이하는 사람), 호모 파베르(도구를 만드는 사람), 호모 하빌리스(손을 쓰는 사람) 등이다.

인간은 직립보행을 하게 되면서 두 손이 자유로워지고, 두 손을 자유롭게 이용하면서 도구를 개발하고, 불을 사용하면서 문명을 발달시켜 왔다. 이를테면 석기, 청동기 등 어떤 도구를 사용했느냐에 따라 인류의 역사를 구분하기도 한다.

인간 이외에도 도구로 흰개미를 사냥하는 침팬지도 있고, 늪을 걸을 때 나뭇가지를 모아서 다리를 놓고 지나가는 고릴라도 있다. 이집트의 대머리 수리는 부리로 돌을 집어서 타조 알을 깨고 먹을 줄도 안다. 굽은 철사를 이용해 실린더 안의 먹이를 꺼내 먹는 까마귀도 있다.
그러나 인간은 동물과는 달리 자연 자체에서 얻어지는 도구를 한 단계 개선된 도구로 발전시켜 사용해 왔고 그로 인해 만물의 영장이 되었다는 점에서 동물의 도구 사용과는 본질적으로 다르다.

인간의 도구 사용은 신체의 한계, 시공의 한계를 뛰어넘게도 해 준다. 물론 인간이 도구를 본래의 용도 외에 다른 목적으로 사용하면서 역작용이 생기는 경우도 종종 있다. 요컨대 '스마트폰 중독' 현상이 그것이다.

요가 수련 시에도 탄성 밴드, 벨트, 막대기, 담요, 수건, 짐볼, 블록, 폼 롤러, 써클 등 도구를 이용하기도 한다. 도구를 이용하는 것은 요가 동작에 대한 이해와 효과를 증진한다. 안정성과 편안함, 정확성을 유지하면서 어려운 동작에 도전하게 한다.

그렇다고 도구의 사용에만 의존하는 수련은 바람직하지 않다. 도구를 사용하는 수련과 맨몸 상태로 하는 수련이 적절한 조화를 이루어야만 한다. 어디까지나 전통적인 방식의 요가는 자연 그대로의 상태에서 이루어지는 것을 전제로 한다. 맛깔스러운 인스턴트식품 대신 담백한 쌀을 평생 주식으로 삼는 이유와 같다.

그런 점에서 '사람들을 요가에 맞추는 것이 아니라, 요가 수행을 각각의 사람들에게 맞추도록 하는 것이다'라는 인도의 현인 크리슈나 마차리아의 말을 주목할 필요가 있다.

70. 내면에 귀 기울이는 '카르나피다 아사나'

염재현

등을 대고 누워 두 손으로 허리를 받치고, 두 다리를 머리 뒤로 넘긴 후 두 무릎을 구부려 양쪽 귀를 누르는 자세가 카르나피다 아사나이다. '카르나'는 귀, '피다'는 누르다를 뜻한다.

정지된 상태에서 눈을 감고 내면의 소리에 귀를 기울인다. 이 자세는 목 부위의 경직을 풀어주고 집중력을 높여주며 내장의 가스를 제거해 주는 효과가 있다.

귀는 우리 인체에서 청각과 평형감각을 담당하는 기관이다. 뇌부터 발끝까지 모든 기관과 연결되어 있고 신체기관 중 혈관이 가장 많이 모여 있는 곳이다.

귀하면 '소통'을 빼놓을 수 없다. 일상생활에서 의사소통이란 잘 듣고 잘 반응하는 과정이다. 사람의 의사소통을 분석해보면 듣기, 말하기, 읽기, 쓰기 등인데 여기서 듣기의 비율이 절반 가까이 차지한다고 한다.

듣기가 효과적인 커뮤니케이션으로 이어지려면 올바른 청취나 집중이 크게 요구된다. 누군가 나의 이야기를 정성을 다해 경청하는 사람을 만날 때 내 감정이 인정받았다는 부분에서 자존감과 함께 확신을 느끼게 된다.

하지만 경청은 대단한 에너지를 필요로 하는 높은 수준의 커뮤니케이션 기술인 것은 틀림없다. 그러기에 '말하는 것은 지식의 영역이고 듣는 것은 지혜의 영역이다'라는 말이 있을 정도다. 50여 년 동안 아나운서의 길을 걸어온 김동건 아나운서는 '말 잘하는 비법은 없지만 딱 한 가지 있다면 잘 듣는 것이다'라고 했다.

모 재벌 회장이 경영권을 물려주면서 내린 휘호에도 '경청'이 있을 정도다. 코미디언을 죽이는 방법은 '하품 한 번이면 족하다'는 말이 있다. 이 역시 듣는 자세의 중요함을 일깨워 주는 말이 아닐 수 없다. "죽음이란 어떤 의미냐?"는 어느 기자의 질문에 아인슈타인은 '나에게 죽음이란 모차르트를 못 듣는 것이다'라고 했다지 않는가?

요즘 시중엔 소통 부재니 불통이니 하는 말이 자주 오르내리고 있다. 카르나피다 아사나를 취하면서 먼저 말하기보다는 상대의 이야기를 한 마음으로 집중해 들어야겠다는 다짐을 해보는 것도 좋을 듯하다.

이청득심(以聽得心), 즉 '귀 기울여 경청하는 일은 사람의 마음을 얻는 최고의 지혜'란 말도 한번 더 되새겨 보면서….

71. 신경을 안정시키는 눈 요가

장애리

옛말에 '몸이 천 냥이면 눈이 구백 냥'이라는 말이 있다. 그만큼 눈은 신체 구성요소 중에서 중요하다는 의미이다.

눈과 관련된 고사성어 '화룡점정(畵龍點睛)'은 '용을 그린 다음 마지막으로 눈동자를 그린다'는 뜻으로 가장 핵심이 되는 부분을 마무리 함으로써 일을 완벽하게 끝냄을 이르는 말이다.

눈이 맞았다, 눈에 밟히다, 눈 밖에 나다, 눈 귀가 여리다. 눈에 콩깍지가 씌다. 제 눈에 안경, 눈이 등잔 등 같다, 눈 가리고 아옹 등 눈과 관련된 속담이 많은 건 그만큼 다양하게 인간의 감정 상태를 표현하는 게 눈이라는 뜻일 게다.

육체의 모든 부분은 인간 의지의 표현이겠으나 그중에서도 미묘한 감정까지 표현해 주는 것은 눈뿐이다. 어떤 기관도 눈만큼 진실을 여실히 말해주기는 쉽지 않다.

이 세상에는 다양한 눈이 있고 다양한 세상이 있다. 그러나 사람의 눈은 시력 차가 커서 수천 년이 지난 역사의 비밀은 밝혀 내면서도 가까이 있는 사람의 마음 속은 보지 못하는 오류를 범하기도 한다.

요가에서는 기(氣)의 응집처인 차크라가 일곱 군데 있다. 그중 양미간 사이에 위치하는 아즈나 차크라를 제3의 눈, 각성의 눈이라 한다. 이런 연유로 인도인들의 이마를 보면 두 눈 사이에 점이나 스티커가 붙여져 있다.

최근 현대인들은 스마트폰, 컴퓨터, TV시청, 인공조명에 오래 노출된 생활 등의 눈을 혹사시키는 환경과 고혈압, 당뇨 등의 만성질환, 과도한 인스턴트 식품섭취, 그리고 노령화로 눈 건강이 위협받고 있다.

이때 가볍게 할 수 있는 게 '비빈 손바닥 눈에 대기', '눈 깜빡거리기', '측면보기', '회전하는 것 보기', '위와 아래 보기', 두 눈을 꼭 감았다가 번쩍 뜨는 '네트라 반다', 사물이나 한 점을 눈 깜빡이지 않고 응시하는 '트라타카' 등이다. 모두 안근을 강화하고 시신경을 자극함으로써 눈의 피로를 풀고 정화해 주는 효과가 있다.

눈과 관련된 음악들도 많다. '오 솔레 미오'는 사랑하는 이의 눈동자를 태양에 비유한 칸쵸네곡이고, '뷰티플 브라운 아이즈' 역시 아름답고 낭만적인 팝이다. 그리고 더없이 경쾌하고 힘찬 곡인 '아이 오브 타이거'는 실베스타 스텔론이 주연한 '록키' 영화의 주제곡이다. 눈 요가 하면서 이런 노래를 들어도 좋을 듯하다.

72. 요가 수련의 4요소 알고 배우자

최진태

예전보다는 조금 수그러진 듯하나 여전히 전국이 요가 열풍이다. 요가원, 문화센터, 평생교육원, 주민자치센터, 체육관, 아파트 단지 내 헬스센터, 초중고 특활반 등. 이제 요가는 더 이상 스승과 제자 간에 일대일로 은밀히 전해져 내려오던 전통 수행 방식이 아니다. 다수를 위한 대중성과 보편성을 띠며 많은 이들이 요가를 손쉽게 접할 수 있게 됐다.

요가에는 수련에 필요한 4대 요소가 있다. 이를 법(法), 재(財), 지(地), 려(侶)라 한다. 그 첫째가 법이다. 범어로 '다르마'라고 한다. 한자어로는 달마(達磨)라고 쓴다. 일반적으로 정의, 도덕, 의무, 질서를 뜻하나 존재 의미의 뜻으로도 쓰인다. 지금은 법이란 단어로 우리 생활 깊숙이 파고들어 우리의 행동 방향을 결정짓고 있다. 또 다른 의미로는 진리를 뜻하기도 한다. 우리가 수행하는데 가장 중요하고 필요한 것은 무늬만 요가가 아닌 올바른 가르침 즉 정립된 요가의 법과 올곧은 요가 선생님, 요가 지도자가 필요하다는 말이다.

두 번째는 재(財)이다. 요가 수련을 하려면 많든 적든 어느 정도 경비가 든다. 재는 아르타라고 한다. 아르타는 보통 재물, 혹은 부(富)를 의미하지만 넓게는 권력, 명예, 사회적 인정, 영향력 따위의 사회적 생존에 필요한 모든 것을 포함한다. 건전한 부의 창출이야말로 우리 인생에서 정당한 행위임을 뜻하고 있다.

세 번째로 지(地)는 요가 수련 또는 수행할 수 있는 공간, 시설을 말한다. 요가원을 지칭하나 범어로 아쉬람이라고 한다. 종교적인 은둔 수행이나 교육에 사용되는 곳, 영적인 지도자가 거처하는 곳을 말한다.

마지막으로 려(侶)는 도반(道伴), 즉 같이 수련 또는 수행하는 사람을 일컫는다. 같은 길을 함께 간다는 의미에서 이 또한 대단히 중요하다. 수행이 힘들 때 서로를 격려해 줄 수 있는 누군가가 있다는 것은 수행의 길을 걷는데 상당한 도움이 된다. 법정 스님의 '진정한 도반은 내 영혼의 얼굴이다. 내 마음의 소망이 응답한 것'이며 '도반 사이에는 말이 없어도 모든 생각과 기대가 소리 없는 기쁨으로 교류된다'고 했다. 우리 모두 '잎 떨어져도 나무에 귀를 대는 조각달처럼 사랑으로 침묵하면서 서로를 들을' 귀한 도반이 서로에게 됐으면 좋겠다.

73. 기상하며 '굴렁쇠 자세'하면 순환에 도움

최정임

천장을 바라보고 누운 상태에서 무릎을 가슴 쪽으로 끌어당겨 양팔로 감싼 후 몸을 공처럼 둥그렇게 말아 앞뒤 좌우로 굴렁 굴렁 구르는 동작을 닮은 '굴렁쇠 자세'가 있다. 이 자세는 누워 생활하는 습관에 대해 상응하는 동작이며, 아침 기상 시에 하면 더 좋다. 등, 몸통, 엉덩이를 마사지해주는 효과와 함께 척추가 유연해지고 혈액순환을 도와준다. 장운동과 뇌 기능이 활발해지는 효과도 있다.

예로부터 정월 대보름맞이 민속놀이 등에서는 달집태우기, 제기차기, 액 연 띄우기, 귀밝이술 마시기, 널뛰기, 팽이치기 등과 함께 이 굴렁쇠 굴리기 놀이가 있었다. 경상도 지역에서는 굴렁쇠를 '동태'라 했다. 동태는 바퀴를 뜻하는 사투리이며, 굴렁쇠가 바퀴처럼 돌아간다는 뜻에서 일 것이다. 이는 Y자형 막대 끝에 둥근 테 모양의 대나무나 쇠에 대고 굴리면서 하는 놀이이다. 88올림픽 때 서울 잠실 운동장에서 한 소년이 굴렸던 게 바로 이 굴렁쇠 굴리기였다.

굴렁쇠는 원이다. 원은 같은 길이의 끈으로 만들 수 있는 도형

중 가장 넓은 도형이다. 순환하는 원은 모든 움직임을 나타내며 통합과 분할, 재통합, 진화와 퇴화, 성장과 퇴행, 생과 사의 과정 등 영원한 시간의 상징으로 알려졌다.

루마니아 비교 종교학자인 엘리아데는 원에서 찾아볼 수 있는 세계 공통적인 상징의 의미가 원 자체에 투영된 완전성, 불멸성, 동시성 등인 까닭으로 원이 다른 도형들과 달리 더욱 더 특별한 이유라고 했다.

원은 숫자 '0'으로도 표시되어 진다. 인도 범어에서는 공백이나 부재를 의미하는 '슈냐'라는 말이 있다. 0을 지칭하기도 하는데, 컴퓨터 기기 등이 존재케 된 2진법이 0과 1로 구성되어 있다.

마음에 모자라거나 부족함이 없고 둥글고 완전해 지혜와 은혜가 가득한 상태를 원만구족(圓滿具足)이라고 한다. 그러나 사실상 욕심을 계속 일으키면서 그것이 채워지는 삶이란 불가능할 것이다. 원만구족을 현실에서 찾는다면 '나는 오직 만족할 줄 안다'는 뜻의 오유지족(吾唯知足)의 실천에서 비로소 가능해진다고 할 수 있지 않을까? 굴렁쇠 자세를 통해 원만구족과 오유지족의 의미를 되새기는 시간이 되었으면 좋겠다.

74.복부 자극해 장운동 돕는 '꽃 목걸이 자세'

최정임

바야흐로 꽃의 계절이다. 아침저녁으로 꽃의 향연을 본다. 꽃 멀미가 난다. 과히 꽃 사태라 할 수 있겠다. 꽃과 관련된 요가 자세로 범어로는 '말라 아사나'라고 하는 '꽃목걸이 자세'가 있다. 두 발을 모으고 쪼그려 앉아 발바닥과 발뒤꿈치는 바닥에 붙인다. 두 무릎을 벌리고 두 팔로 무릎을 감아 등 뒤로 돌려 마치 둥근 꽃목걸이처럼 놓은 채 앞쪽으로 구부려 머리를 바닥에 닿게 한다. 이 자세는 복부기관을 자극함으로써 장운동을 돕고 등 부분을 편안하게 해 주며 종아리를 단련시켜 주는 효과가 있다.

꽃은 우리 생활에 없어서는 안 될 풍요로운 마음과 아름다운 정신을 지켜주는 상징이자 소중한 자산이다. 그리스 로마 신화에서는 신들이 또 다른 생명을 창조할 때마다 새로운 꽃이 태어난다. 그만큼 꽃은 창조의 정신을 말하는 것인지도 모른다.

예로부터 꽃은 아름다움과 화려함, 번영, 영화로움 등의 긍정적인 의미를 지니고 있어 아름다운 여인이나 종교, 좋은 일 등에 곧잘 비유됐다. 과거에 장원급제한 사람의 머리에 꽂은 어사화는 영화로움을 상징하는 것이다. '웃음꽃이 핀다', '그 집 안에 꽃이 핀다'는 등의 속언은 경사스러운 일을 나타내는 말이다.

꽃은 정서적으로 메마르기 쉬운 현대사회에 교육적 가치는 물론 우리의 감정에 영향을 미치고 공기정화능력, 정신 치료학적 효과 등 생활에 유익함을 더해 주고 있다. 문인 김동리는 '꽃을 보고 그렇게 충격을 받는 것은 곧 거기서 신의 얼굴을 보기 때문이 아닐까?'라고 말하고 있다.

꽃은 꽃꽂이, 이외에도 회의식장, 결혼의식, 장례의식, 꽃다발, 코르사주, 부케, 꽃바구니, 화환, 드라이플라워, 압화, 조화(造化) 등 생활에 이용되지 않는 곳이 없을 정도다.

사람이 꽃보다 아름다울 수 있는 것은 인간의 내면적인 아름다움이 있기 때문이리라. 예로부터 제일 아름다운 꽃은 역시 사람의 마음속에 핀 꽃이라 했다. 사랑이 바로 사람을 꽃보다 아름답게 하는 요소가 아닐까? 사랑의 꽃향기 가득 풀어 마음의 향기로 빛나는 시간이 많았으면 좋겠다. '말라 아사나'를 통해 꽃 한 송이에서 우주를 보는 심성을 갖춘, 꽃보다 아름다운 사람들이 가득한 세상을 꿈꾸어 본다.

75. 마음을 가라앉히는 '산무키 무드라'

염재현

'산무키'는 인도신화에서 여섯 개의 머리를 가진 전쟁 신의 이름으로 '카르티케야'라고도 알려져 있다. '무드라'는 닫는다, 봉함, 에너지의 각성을 의미한다. 숨을 깊이 들이쉰 후 양 엄지손가락은 양 귓구멍을 막고, 양 검지는 눈꺼풀 위, 양손 중지는 양쪽 콧구멍, 양 약지는 윗입술, 양 새끼손가락은 아랫입술 위에 둔 채 숨을 참은 후 천천히 손가락을 떼며 코로 숨을 뱉는 동작이다.

이 자세로 감각기관들은 내면으로 향하게 돼 본성의 소리를 듣게 하고, 호흡이 가라앉아 정신과 신경을 고요하게 만드는 효과가 있다.

여덟 가지 요가 수련 단계에서 다섯 번째에 해당하는 것으로 감각을 제어하는 '프라티아하라' 즉 제감법(制感法)의 일종이다. 제감법은 마음이 외부 대상과의 접촉을 단절하고 내면으로 향하게 하는 것을 말한다. 집중이 잘 되도록 마음을 가라앉히는 역할을 한다. 마치 장미꽃이 닫혔다가 다시 새로운 봉우리로 피어나듯 한다는 뜻이다.

'싸움에서는 한 사람이 천 사람을 이길 수 있지만, 자기 자신을 이기는 자야말로 가장 위대한 승리자'라는 말이 있다. 일상을 되돌아보며 자기와의 약속과 결심을 지키는 일에 몰두하고 있는 경우가 더 많다. '작심삼일'이라는 말도 있듯이 그만큼 자기와의 약속을 지키기가 쉽지 않다는 뜻이다.

요가의 고전인 게란다 상히타에서는 '네 다리를 자신의 껍질 속으로 거두어들인 거북처럼 제감법에 의해 자신의 모든 욕망을 철저하게 거두어들인 사람은 마음이 고요해지고 마침내 자신 안에서 참 자아를 보게 된다'고 언급하고 있다.

감각의 통제에 의해 자신을 이기는 자가 받을 수 있는 행복은 오직 감각들을 만족하게 할 때 얻는 찰나적 기쁨이나 만족보다 더 큰 내면의 행복과 충족감을 느낄 수 있다.

자신을 이기는 자는 외부 환경에 쉽게 흔들리지 않고 자기 자신의 삶에 주인공으로서 우뚝 설 수 있을 것이다. '선지자께서 우리에게 주신 최고의 선물은 바로 자신을 이기는 힘이다'라는 성 프란체스코의 말씀에 힘을 실어 본다. 매일 하는 노력 이상 자기 자신을 이길 수 있는 건 없다는 말을 되새기며, 넘어지고 깨어지고라도 가야만 할 저 고지를 향해 한 걸음씩 다가가는 것도 좋을 듯하다.

76. 성적 기운을 다스리는 '금욕자의 자세'

이은승

상체를 바르게 세우고 다리를 곧게 펴고 앉아 엉덩이 옆 바닥에 양손을 붙인다. 팔꿈치가 구부러지지 않게 펴고 손바닥에 의식을 집중해 다리를 위로 들어 올린다. 다리를 가능한 수평으로 뻗은 상태에서 몸의 균형을 유지하는 자세가 '브라마차리야 아사나', 바로 '금욕자(禁慾者)의 자세'이다.

팔의 근육, 복부 근육, 하단전을 강화해 주며 괄약근의 수축력을 높여 줌으로써 요실금 등에 도움이 된다. 또한 성적(性的)인 기운을 정신력 강화의 에너지로 승화시킬 수 있게 한다.

이 자세는 명칭처럼 욕망을 다스려 수행자의 의지력을 높이는데 유용하다. 요가 수련의 8단계에서 첫 번째 단계가 금계(禁戒)인데 이 금계에는 살생하지 말 것, 도둑질하지 말 것, 탐욕하지 말 것, 그리고 '브라마차리야'(금욕)를 강조하고 있다.
금욕은 비윤리적인 성관계의 금지뿐만 아니라 본능적인 자기욕구의 절제, 억제를 말한다. 요가에서는 생명 에너지인 성(性)에너지를 정신적이며 영적인 성(聖)스런 에너지로 승화시켜가는 것을 전제로 하고 있다.

정(精)이 소모될 때 소중한 에너지가 흩어져 버리고 정신력을 쇠약하게 해 의식의 집중을 어렵게 만든다는 것이다. 이것은 집착과 욕망, 열정으로부터 자유로워지기 위해서도 더욱 그러하다.

고전 요가 경전에서는 정력의 남용은 죽음을 부르고 정(精)을 몸속에 보존하면 몸속에서 향기가 나고 모든 지력이 빛난다고 언급하고 있다. 요가 수행자의 절제하는 삶은 성적인 본능까지도 다스릴 수 있어야 하며 그리하여 누적된 힘을 구도와 지성의 계발에 쓰고 잘못된 것과 싸우는 용기와 지구력으로 활용하라고 강조 한다.

'브라마차리야'라는 말을 번역하면 '신의 길을 걸어간다'는 뜻이다. 이는 감각적 쾌락을 자제함으로써 감각기관에서 얻을 수 있는 것 이상으로 깊은 생명력을 얻을 수 있기 때문이리라.

정도의 차이는 있으나 여러 종류의 수행법에서 몸과 마음을 닦는 수행자에게 공통으로 요구되는 덕목이 바로 금욕이다. 자기 절제와 욕망의 극기 능력은 인간의 자유의지의 표현이란 것을 '금욕자의 자세'를 통해 한 번 더 생각하게 된다.

77. 경직된 어깨 풀어주는 '파르바티 아사나'

오혜령

'파르바티'란 인도 신화에서 '히말라야의 딸'로 표현되고 있다. 결가부좌로 앉아 양손을 깍지 낀 채 손바닥을 위로 향하게 하고 머리 위에서 수직으로 쭉 뻗는다. 머리를 위로 향한 채 손등을 바라본 후 다시 앞으로 구부렸다가 정면을 본다. 등을 곧게 편 상태를 유지 한다. 류머티즘 통증과 어깨 경직을 완화하는 효과와 흉근의 발달을 돕는다. 복부기관을 죄어 주고 가슴과 양 옆구리를 활짝 펴게 해 준다.

히말라야란 말은 범어로 눈을 뜻하는 '히마'와 거처를 뜻하는 '알라야'의 합성어로 '눈의 거처' 즉 '만년설의 집'이란 뜻을 가지고 있다. 소설가 박범신은 '히말라야의 경치는 이승이 아니라 초월의 것이다. 신성이 깃든 풍경, 내가 들어가고 다시 나에게 들어오는 곳이다'라며 찬탄하고 있다. 또한, 히말라야의 빛나는 모습에 반한 사람들은 '입을 열면 진실에서 천 리 밖으로 멀어진다'며 말을 아끼기도 한다.

인도 신화에서 파르바티는 시바의 아내로서 전생에 '사티'라고 불렀다. 남편의 명예를 지키기 위해 자신의 몸을 불살라 버렸다. 예전에 인도에선 남편이 사망하면 아내와 함께 화장하는 악습이 있었는데 이 신화에서 유래되었다고 한다. 그걸 일러 '사티의식'이라 하였다.

그리스 신화의 큐피터에 해당하는 사랑의 신 까마가 향기로운 꽃이 달린 사랑의 화살을, 지구의 기(氣)가 최고로 응집되어 있다는 카일라스 산에서 천 년 명상에 들어 있는 시바의 가슴에 쏘아 파르바티와 사랑에 빠지게 된다는 러브 스토리도 흥미롭다.

히말라야 14좌와 7대륙 최고봉 그리고 3극점을 모두 등정해 그랜드 슬램을 달성한 박영석 대장이 떠오른다. 코리안 루트 개척에 나섰다가 안나푸르나에서 잠들었다.

신이 머무는 곳이 아닌 산 전체가 신인, 명상에 들지 않아도 우주의 호흡을 느끼게 된다는, 명상하는 곳이 아니라 산 전체가 명상하는 히말라야. 신화를 만드는 곳이 아니라 산 전체가 신화가 되는 히말라야. 한 걸음 한 걸음 그 자체가 명상이 되고 하타요가가 될 듯한, 그런 산을 걸어가며 산이 되었다가 산마저 잊어버리는, 그런 수행 한번 해보고 싶은 곳, 히말라야. 파르바티 아사나를 통해 히말라야를 느껴 보는 것도 좋을 듯하다.

78. 손발 관절 유연하게 하는 '코끼리 걸음 걷기'

최정임

코끼리는 육지에 사는 동물 중 몸집이 가장 크며 긴 코를 자유롭게 이용해 먹이를 먹는 동물이다. 코끼리의 가장 큰 특징은 윗입술과 하나로 붙어 있는 긴 코라 할 수 있다. 코는 마치 인간의 손처럼 자유롭게 움직일 수 있다. 코는 숨을 쉴 **뿐**만 아니라 물을 마시고 나뭇잎을 뜯고 심지어 동전까지 집을 수 있을 정도로 예민하다. 매우 영리하고 기억력이 좋은 동물이다.

불교에서는 모든 힘의 원천을 상징하는 동물로서 경전과 신화 등 여러 곳에 등장한다. 마야부인이 왕자를 잉태할 때 흰 코끼리가 들어오는 꿈을 꾸었으며, 지혜를 상징하는 보현보살이 타고 다니는 동물로 묘사되기도 한다. 법보사찰 해인사가 있는 가야산의 가야(伽倻)는 범어로 코끼리라는 뜻이다. 우리 속담에는 '눈먼 사람 코끼리 코 만지듯 한다'는 말이 있다. 이는 얼마나 자기 주관대로 사물을 편협하게 생각하는지를 가르치는 교훈이기도 하다. 코끼리 **뼈**를 가지고 코끼리를 머릿속으로 그려내는 행위였던 것이 상상(想象)인데 지금은 형상을 그려본다는 의미로 상상(想像)이라고 쓴다. 장기는 세조 때에는 상희(象戲)라고도 했는데 이는 코끼리를 숭상하는 인도에서 비롯된 것이라는 설도 있다. '걸음을 멈춰 섰던 인도코끼리 질주 본능이 되살아나고 있다'는 식으로 인도는 코끼리에 비유될 정도이다. 힌두 신화에서도 군중의 지배자라는 뜻을 지닌, 배가 불룩 나온 사람의 몸에 코끼리 머리의 형상을 한 것으로 묘사된 가네샤가 등장한다. 지혜의 상징이며 장애를 제거하고 부와 사업의 성공, 즐거운 여행을 보장하는 신으로 추앙되고 있다. 실제로 거의 대부분의 상점과 은행에서 이 가네샤의 그림이나 조각상을 볼 수 있을 만큼 대중적이다. 그리스 신화에 길운을 가져다주는 존재로 여기는 헤르메스의 존재와 유사하다.

요가에서 코끼리 걸음 걷기 자세는 양손을 바닥에 짚은 채 팔꿈치와 무릎을 펴고 엉덩이를 들고 앞으로 되로 좌우로 이동하며 걷는 모습을 말한다. 보는 시각에 따라 소, 곰, 호랑이, 원숭이걸음 등으로 명명되기도 한다. 손발의 인대와 관절을 유연하게 하고, 다리를 탄력 있게 한다. 혈액순환을 원활하게 하며, 위장하수 등 내장의 위치를 바로 잡아주는 데 도움이 되는 자세다. 허리 건강에도 아주 좋다. 헨리 메시니의 '아기 코끼리의 걸음마'나 생상스의 동물의 사육제 제5곡 '코끼리'를 들으며 이 자세를 수련한다면 더욱 좋을 듯하다.

79. 의지력·균형감 키워주는 '발끝으로 선 자세'

이은화

무릎을 꿇고 발끝을 가지런히 모아 세우고 앉아 발뒤꿈치로 엉덩이를 받친다. 오른발을 왼발 무릎 위에 올린 후 정지된 상태로 가슴 앞에서 두 손을 모은다. 범어로 '파당구쉬타 아사나'라고 한다

이 자세를 취하면 성적인 욕망의 절제와 의지력을 키우고 균형감각과 집중력이 향상된다. 발가락, 발목관절, 종아리를 튼튼하게 해주는 효과도 있다. 발은 온종일 몸 전체의 하중을 지탱하는 데 중요한 신체기관이다. 제2의 심장이라고도 한다.

발은 심장에서 가장 멀리 떨어져 있는 까닭에 발끝까지 내려온 혈액이 되돌아가려면 심장의 힘만으로는 벅차다. 이 때문에 노

폐물이 쌓이고 혈액순환이 잘되지 않아 각종 질병이 생기기도 한다. 요즈음은 거의 사라졌으나 예전엔 결혼식 날 신랑의 발을 끈에 매달아서 북어로 발바닥을 때리는 풍속도 있었다. 이것은 신랑의 피로를 풀어주는 역할도 했다.

부처님이 열반에 드실 적에 가섭존자에게 관 밖으로 두 발을 내보이셨다는 기록도 있다. 불(佛) 족적은 중생을 보살피기 위해 동분서주하는 부처님을 상징하기도 한다. 예수가 십자가에서 수난을 당하기 전날 밤 제자들의 발을 씻겨준 데서 유래했다고 하는 세족식(洗足式)은 존중과 사랑의 뜻을 표하는 의식이다. 프란치스코 교황은 지난 부활절에 죄지은 이교도의 발을 씻겨주고 키스까지 해주어서 세간의 화제가 되었다.

발(足)하면 연배 있으신 분들은 추억의 명화인 김기덕 감독의 '맨발의 청춘'(1964)을 떠올릴 법도 하다. '눈물도 한숨도 나 혼자 씹어 삼키며'로 시작되는 최희준이 부른 주제곡이 저절로 흥얼거려질 수도 있을 것 같다.

'내 몸은 내 예술의 성전이다'라고 역설하는 투둘투둘 굳은살이 생긴 발레리나 강수진의 발, 평발을 딛고 우뚝 선 축구선수 박지성의 발, 피겨여왕 김연아의 발 모두가 꿈을 향해 한 곳으로 달려갔던 인간 승리의 아름다운 발들의 모습이다. '눈 내린 들판을 걸어갈 때에는/발걸음을 어지러이 걷지 마라/오늘 내가 걸어가는 발자국이/뒤에 오는 사람의 이정표가 될 것이니.' 백범 김구 선생의 애송시 '답설(踏雪)'이다. 파당구쉬타 아사나를 취하면서 이 시의 의미를 다시 한 번 음미해 보는 것도 좋을 듯하다.

80. 등·목·허벅지 단련시키는 '마카라 아사나'

임은주

마카라 아사나는 배를 바닥에 대고 양손을 머리 뒤로 한 채 깍지 끼어, 무릎이 구부러지지 않게 머리, 가슴, 양다리를 위로 들어 올린 자세이다. 이때 팔꿈치도 위로 치켜든다. 이 자세는 등과 목 그리고 허벅지 뒤쪽의 근육을 튼튼하게 해주는 효과가 있다.

마카라는 인도 신화에 등장하는 생물이다. 뿔 달린 짐승의 얼굴과 앞다리, 그리고 물고기의 몸과 꼬리를 가진 걸로 묘사되고 있다. 바다의 신 바루나가 타고 다니는 것이 바로 이 마카라다. 리그베다에는 '하늘을 멈추게 할 자 오직 바루나다'라고 기록되어 있다. 그리스 신화에서는 트로이 성을 점령한 바다의 신 포세이돈이 있고, 동양에서는 용왕이 있다. 용왕은 물을 관장하는 수호신으로서 숭앙 되었다.

해양(海洋)은 대륙과 대륙 사이에 있는 수역의 대부분으로 독립된 고유의 크기, 염분, 조석계(潮汐系), 해류계를 가진 넓고 깊은 수역을 말한다. 대양은 태평양, 대서양, 인도양의 3대양을 기본으로 하지만 여기에 북극해와 남극해를 추가하기도 한다.

대양을 더 세분한 폐쇄 수역을 바다라고 한다. 인류가 바다에서 얻는 혜택으로 환경조절 기능과 식량 또는 연구자원으로써 다양한 해양 생물을 제공한다. 바다는 지구 표면의 70% 이상을 차지하고 있다. 우리나라는 삼면이 바다이다. 사람과 사람, 도시와 도시, 국가와 국가 간의 무역 대 무역이 바다를 중심으로 이루어지기에 많은 국가들은 바다를 지배하기 위해 고군분투하고 있다.

미국 사상가 헨리 데이비드 소로는 '물은 대지의 피'라고 했으며 프랑스 철학자 가스통 바슐라르는 '바다란 어머니이며 바닷물은 그 어머니에게서 나온 기적의 우유'라고 표현하고 있다. '바다가 바다라는 이름을 갖게 된 것은/이것저것 가리지 않고/다 받아 주기 때문이다'라는 문무학의 '바다' 시 구절도 흥미롭다.

'바다를 지배하는 자가 세계를 지배한다'고 했다. 이 말을 오늘에 적용해보면, 바다를 사랑하는 자가 세계를 지배한다고 말할 수 있을 것이다. 바다는 힘 그 자체이며 바다에 우리의 미래가 있다는 것을 재차 되새기게 하는 마카라 아사나이다.

'어서 가자가자 바다로 가자'로 시작되는 김정구의 바다의 교향시가 어울리는 계절. 여기에 맞춰 이 동작 한번 취해보길 권한다.

81. 척추·복부·내장에 좋은 '나비 아사나'

최정임

바닥에 이마와 배를 대고 엎드린 후 배꼽부위만 바닥에 닿게 하고 어깨너비로 다리를 열고, 양손을 머리 위로 올렸다가 다시 오른손과 왼 다리는 바닥에 닿게 한 채 왼손과 오른 다리만 들어 올리는 자세이다. 이는 척추 이상과 만곡 증세의 개선에 효율적이며 복부와 등 부위를 강하고 탄력 있게 해 준다. 복부 자극으로 내장기능을 향상하고 가스배출을 원활하게 도와주는 효과가 있다.

나비 아사나에서 '나비'는 범어로 배꼽을 뜻하지만, 동작의 진행이 방아깨비의 움직임을 닮았다고 해 '방아깨비 자세'로도 불린다.

방아는 곡물을 절구에 넣고 탈각, 정곡하거나 제분하는 데 이용되는 농기구이다. 최초의 방아는 신석기시대에 나타나는 '돌공이'에서 시작되어 '돌확'으로 개선되었다가 이후 삼국시대에 이르러 절구와 같은 모양을 갖추었고 나아가 지레의 원리를 이용한 디딜방아, 물의 힘을 이용한 물레방아로 발전했다.

고려가요 상저가(相杵歌)는 방아를 찧고 노동의 피로를 달래기 위해 부른 노래이다. 거친 밥이라도 부모님께 먼저 드리려는 지극한 효에 대한 노래이다. 신라 때 가난하게 살던 거문고의 명인 백결선생이 설날 준비를 걱정하는 아내를 거문고로 방아 소리를 내어 위로했다고 하는 '방아타령'도 있다.

요가에서는 배꼽 주변에 있는 기(氣)의 센터를 보석의 도시란 뜻의 '마니푸라 차크라'라고 한다. 소화와 신진대사를 관장하는 부위이다. 태양신경총과 연결되어 있어서 특히 중히 여겼다. 예로부터 사대부 집안에서는 복대를 애용했다고 한다. 그것은 냉기를 막아주고 배꼽 주위를 따뜻하게 보(補)하는 효과도 있었다. 더울 때 젊은이들이 배꼽을 드러내는 의상이 가히 건강에 좋지 않다는 얘기이다.

'서제막급'이란 고사성어가 있다. '배꼽을 물려고 해도 입이 닿지 않는다'는 뜻으로 '일이 그릇된 뒤에는 후회해도 아무 소용이 없음'을 비유한 말이다. 유사한 우리 속담인 '소 잃고 외양간 고친다'는 말이 더욱 실감 나게 다가오는 때도 있다. 이럴 때 나비아사나 한 동작과 더불어 모두가 허허 큰 웃음이라도 맘껏 웃었으면 좋겠다. 웃을 때 배꼽을 잡고 웃으면 행복이 배가 된다고 하니 말이다. 웃다 보면 진짜 배꼽 잡고 웃을 일이 생길 수도 있지 않을까?

82. 골반 근육 키워주는 '바즈라 아사나'

장정원

무릎을 꿇고 앉아 양손을 양 허벅지 위에 둔 채, 턱이 들리지 않도록 해 척추를 바로 세운 후, 눈을 감은 채 자연스럽게 호흡을 고르는 자세를 '바즈라 아사나'라 한다.

이 자세는 골반 근육을 강화하고 혈액과 신경의 흐름을 조정하며 복부를 편안하게 해주는 효과가 있다. 이런 까닭에 흔들림 없는 요가 수행을 하는 데 도움을 준다.

고대인도 신화에서 최고의 권위를 가진 신들의 왕 인드라는 '번개를 던지는 자'로도 불린다. 번개 또는 벼락을 의미하는 바즈라는 바로 이 신의 강력한 힘을 상징하는 무기로 집착과 두려움으로부터 기인하는 번뇌를 깨트리는 지혜의 칼을 의미하며 금강석(金剛石)을 상징하기도 한다.

금강석은 다이아몬드를 일컫는다. 다이아몬드는 영원한 보석으로 불리며 가장 단단한 보석으로 역사에 수많은 이야깃거리를 남겼다. 고대 사람들이 '하늘에서 지구로 떨어진 별 조각', '신이 흘린 눈물방울'이라 부를 만큼 일찍부터 그 아름다움을 인정받았다.

다이아몬드의 기원은 '정복할 수 없다'는 뜻의 그리스어에서 유래했다. 처음으로 이 보석을 사용한 것은 인도의 드라비다 족으로 기원전 7~8세기경의 일이다.

성서 속에서도 단단한 것, 아름다운 것의 상징으로 여러 차례 등장한다. 중세에는 호신부로도 사용되었다. 다이아몬드는 천연색 중 빛의 굴절률이 제일 높아 그만큼 아름다운 광채를 발휘한다.

서양에서는 결혼 60주년을 다이아몬드혼식이라 해 기념식을 가진다. 신파극에 자주 등장하는 장한몽에는 이수일을 배반하고 김중배를 따라가는 심순애가 다이아몬드 반지에 눈이 어두워져 참사랑을 잊는 얘기가 전개되고 있다.

불가에서는 인간에게 내재한 혹심(惑心)의 뿌리를 자르듯 밖으로 끌어내는 것을 금강심이라 하고 이와 같은 힘을 일깨워 주는 지혜의 법을 밝히는 경전을 금강경이라고 한다.

우리 속담에 '천둥·번개 칠 때 천하 사람이 한마음 한뜻'이란 말이 있다. 천재지변이나 공통의 위험 속에서는 모두의 마음이 하나가 된다는 말이다. 시국이 힘든 때일수록 모두가 한마음 한뜻의 금강심으로 뭉쳐 위기를 극복하라고 바즈라 아사나가 시사해 주는 듯하다.

83. 태교에 효과적인 '가르바 핀다 아사나'

이순정

앉아서 양다리를 포갠 연화 좌를 취하고 양손은 허벅지와 장딴지 사이에 팔꿈치가 빠져나올 만큼 깊숙이 끼워 넣는다. 꼬리뼈 부위로 몸의 중심을 잡은 상태에서 무릎을 위로 들어 올린다. 양팔은 접어서 손바닥으로 턱을 감싸거나 양쪽의 귀를 붙잡는다. '가르바 핀다 아사나의 자세'이다. 마치 자궁 속 태아의 모습을 닮았다고 해서 부쳐진 이름이며 흔히 '자궁 속 태아의 자세'라고도 한다.

사람의 본성은 하늘로부터 받고 그 기질은 부모로부터 받는다는 생각은 대우주의 자연법칙과 사상을 그대로 반영하는 것이다. 이런 철학적 이치를 사람에게 적용한 도리와 규범을 태교라 한다. 그래서 '예(禮)가 아니면 보지 말고, 말하지도 말고, 듣지도 말고, 행하지도 말라'는 우리 선조들의 경구는 산모의 생활 전체가 태교임을 알고 바른 생활에 힘쓰라는 당부였다. 뱃속의 태아도 하나의 생명이란 인격체로 여겨 가르치는 우리 선조들의 생명 존중 사상이 이를 잘 반영하고 있다. 우리나라 사람들이 서양과는 달리 태어나자마자 한 살로 나이를 계산하는 데에는 이러한 가치관이 깔렸다 할 것이다.

조선 정조 때 사주당 이 씨의 태교 신기에 '수태 중에 행동거지가 왕성하면 뛰어난 자식을 둘 수 있다'고 했으며, '명의는 병이 나기 전에 다스리고 잘 가르치는 자는 태어나기 이전에 가르친다'고 하였고, '훌륭한 스승의 10년 가르침보다 어머니의 태교 열 달이 더 중요하며, 어머니의 태교 열 달보다 아버지의 수정 당일 심신 상태, 즉 설계가 더욱 중요하다'고 하였다. 이는 부부 모두에 대한 태교의 중요성을 시사하고 있다.

이 세상에 많은 창조가 있겠으나 인간을 창조할 수 있는 유일무이한 축복은 오직 여성에게만 있다. '그대가 먹는 음식 한 조각 한 조각이 태아의 피와 살이 되고, 몸을 움직이는 한 동작 한 동작이 태아에게 운동이 되고, 보고 느끼고 사고하는 한 올 한 올이 태아의 혼불이 된다는 사실을 어찌 간과할 수 있으리오. '그대 창조의 여신이여'라는 외침을 가르바 핀다 아사나를 통해 들어봄직도 하다.

84. 골반 넓혀 주고 무릎에 좋은 '파시니 무드라'

최진태

파시니 무드라는 한 발의 발뒤꿈치를 잡아당겨 근육을 늘리고 무릎에 힘을 준 채, 다른 발은 목 뒤까지 올려 고개를 뒤로 젖히며 힘을 주면서 등을 곧게 펴고 가슴 앞에서 합장을 한다. 여기서 '파시니'는 범어로 파리를 뜻한다. 파리 모양의 체위를 닮았다 하여 붙여진 이름이다. 골반 이완 체위라고도 한다. 이 자세는 골반의 폭을 넓히고 무릎 경화 방지에 효과적이다. 신장 기능을 강화해 복부 수축력을 높여 준다.

파리는 가장 지저분한 곤충 가운데 하나다. 부패한 음식물이나 쓰레기, 더러운 곳을 가리지 않고 앉기 때문에 전염성 질병과 세균을 옮길 수 있다. 파리하면 보통 집파리를 떠올린다, 하지만, 초파리도 있다. 초파리는 1933년 노벨 생리학·의학상을 받은 미국인 토마스 모건 이후 유전학 실험에서 가장 많이 쓰이는 다세포 생물이기도 하다. 실험에 많이 사용되는 이유는 초파리의 한 세대가 12일 전후로 짧아 교배 실험이 효율적이고, 알을 많이 낳아 통계처리가 쉬우며 염색체 수가 8개로 적어 염색체 지도를 작성하기에도 매우 적합하기 때문이다. 특히 최근

에는 '게놈프로젝트' 연구에도 이 초파리가 실험대상으로 사용되고 있다.

유네스코가 선정한 미래를 바꾸는 발명품 중에는 초파리의 후각을 이용한 '초파리 로봇'이 들어 있다는 점이 흥미롭다. 사람과 초파리 유전자가 75% 이상 유사하다는 사실도 신기하다.

초파리가 기피 곤충이면서 한편으로 21세기 생명공학이나 차세대 혁명 산업 분야의 핵으로 떠오를 수 있는 연구에 한 축을 차지한다는 사실은 무얼 의미할까?

인도 고전 바가바드기타에 '빛과 어둠은 이 세상의 두 가지 영원한 원리이다'라는 말이 있다. 빛과 어둠의 조화는 큰 지혜라 할 것이다. 화엄 사상에서도 선과 악, 흑과 백, 독과 약, 좋은 것과 싫은 것, 더러운 것과 깨끗한 것 등을 나누어 보는 데서 인간의 모든 번뇌는 시작되며 그 본질은 결코 둘이 아니라고 전하고 있다.

파시니 무드라를 취하며, 우리의 삶을 한 번 되돌아보는 계기가 되었으면 한다.

시와진실 실천총서 062

요가의 향기로 세상을 보다

몸과 마음을 여는
인문학 오디세이

도서출판 실천

2023.08 도서출판 실천

몸과 마음을 여는 인문학 오디세이

요가의 향기로 세상을 보다

See the Life with Scent of Yoga

저자 최산애

2024.02 도서출판 흐름